CW00400585

La noyée de Zanflamme

Régine Le Jeune

La noyée de Zanflamme

Roman

LE LYS BLEU
ÉDITIONS

ISBN : 979-10-377-4610-8

Ce livre est dédié à tous mes amis, famille et camarades pour qui l'humanité n'est pas un vain mot...
À mes enfants Morgane, Allan et Mickael, allez au bout de vos rêves...
À ma moitié, Yves pourtant bien entier... Merci d'être toi.
Maman ma meilleure...
Dédicace aussi aux premières lignes engagées contre la Covid, vous n'avez rien lâché... Et leur soutien, Anto, Gwen, Ced, Gilles, Tristan, Rémi... et plus encore
Et pour finir, merci aux artistes qui vont se reconnaitre et personnages malgré eux.
Catherine, Sophie et Philippe, Roselyne, Ali,
Ronan, Morgan, Yvan... Et tous ceux qui mettent du cœur dans leur Art....
Et bien sûr Guyguy...
Sabine, pour les heures passées au téléphone, merci, tes témoignages bouleversants sur nos ainés ont déclenché en moi cette envie de rendre hommage à tous les invisibles.

Ami lecteur,

Si comme moi tu regardes ce livre, que tu l'enlèves du rayon, que tu le tâtes, que tu scrutes la tranche, que tu jauges l'épaisseur.

Si derrière le titre tu cherches déjà l'intrigue, et l'auteur.

Si tu tournes le livre comme une crêpe, que ton regard accroche le résumé…

Et si en un instant tous ces éléments vont te pousser à le prendre ou à le laisser…

Si tu penses que cette histoire va te séduire, ou au contraire…

J'ai donc décidé que même si tu le reposes, tu vas longer le rayon puis tu vas tourner en bout de gondole…

Et tu vas revenir, tu vas encore le scruter et l'emporter.

Tout d'abord parce qu'il va te raconter ce qui n'a jamais existé auparavant, et oui parfois la réalité dépasse la fiction, et au jour d'aujourd'hui c'est encore plus vrai.

Parce que c'est un roman où l'intrigue caracole au gré des vagues du côté de Zanflamme, des personnages s'y croisent dans un décor marin et le cri strident de la mouette relie les uns aux autres.

Parce que c'est un crime que chacun d'entre nous aurait pu commettre… Et derrière chacun, on ne sait jamais qui se cache…

Parce que les gens heureux n'ont pas d'histoires, mais qu'ils en sont acteurs, malgré eux…

Parce que tu sais les balbutiements, les premiers pas, la création.

Et parce que cette histoire est née d'une envie de s'évader, de fuir une réalité et de te rencontrer.

On ne s'est jamais vu, et sans doute ne nous verrons jamais, mais le point commun qui nous unit est indéfectible, toi et moi sommes passés par les mêmes inquiétudes, angoisses, interrogations, révoltes… Et à l'heure où tu me liras, on n'en aura peut-être pas encore fini… Être coupé du monde, se confiner pour survivre.

Après avoir usé mes meubles en les lustrant pour tuer le temps, essayé toutes les recettes de cuisine qu'il pouvait exister dans les livres, l'idée est venue.

Écrire… Prendre le temps de coucher des mots, de les assembler, de les marier, l'écriture comme compagne d'infortune…

Et puisque je me suis laissée surprendre par une idée, par un prénom, par des sentiments et que l'imaginaire était si réel qu'il en est devenu consistant.

Parce que pendant toute la phase d'écriture, je me suis levée la nuit pour rajouter un mot, j'ai interrompu mon repas avant que la phrase ne s'envole, j'étais tellement avide d'écrire la page d'après qu'il était primordial que je partage ce fruit avec toi.

Et enfin, parce que je n'en ai connu la fin qu'au moment où j'ai écrit ce mot.

Au fait, n'oublie pas ami lecteur… Si tu rencontres un jour une fleuriste aux doigts agiles qui tresse les fleurs, aie une pensée pour moi…

L'Homme est né lorsque pour la première fois, devant un cadavre, il a chuchoté : Pourquoi ?

André Malraux

Une cacophonie où se mêlent des airs de cornemuses et de bombardes vient subitement interrompre le flot de mes pensées… Dans un recoin du Kernével un groupe de musiciens en kilt, arborant fièrement des instruments se donnent la réplique. Les notes stridentes crèvent le silence de ce bourg tranquille.

17 mars bonne fête Patrick, le speaker de « gène radio » me fait réaliser qu'en effet c'est un jour de fête chez les Bretons, mais la liesse ne m'atteint pas, il faut à tout prix que j'aille sur la cale pour rencontrer le capitaine Mérou.

En descendant la rue principale qui me mène au port, je hume l'air salin, cet air-là qui me remplit les poumons et le cerveau de nostalgie.

Cette vue-là… Elle est imprimée dans mon cerveau, l'île Saint-Michel, tout d'abord, on y allait quand on était gamins, elle était interdite d'accès car c'était un terrain militaire, d'ailleurs encore occupé de nos jours pendant les entrainements.

« Une île entre le ciel et l'eau » comme le chante le grand Jacques, posée là, parée de couleurs flamboyantes attendant sans doute qu'un pinceau vienne la coucher sur un tableau.

Nos parents possédaient une petite annexe, et souvent ma sœur et moi, nous nous prenions des envies d'aventuriers…

On arrivait sur le débarcadère en s'assurant de l'absence de l'armée.

Sur l'île, quelques vestiges d'une sombre époque, Lorient avait été la poche des dernières heures des combats, et les blockhaus qui pullulaient ici en témoignaient et en gardaient le souvenir.

Lorsqu'on arrive sur le point culminant, on peut apercevoir les grues du port de commerce, tels des échassiers aux grandes pattes et gueules au vent, puis ce sont les alvéoles du block 4 qui s'ouvrent sur la mer et qui cherchent désespérément les sous-marins qui y trouvaient refuge et qui depuis longtemps ont déserté.

Des épaves en barrent l'entrée, se dévoilant lorsque la marée se retire, deux croiseurs, le Crapaud, et Strasbourg coulés par les Allemands.

En pivotant vers le large, c'est à présent la citadelle de Port-Louis qui s'impose, majestueuse, s'offrant aux éléments parfois déchaînés, gardienne de l'entrée du port, qui lorsque le temps est clair, laisse entrevoir l'île de Groix.

L'œil du canon scrute encore l'horizon, le ciel se dégrade, chape qui auréole le paysage et lui donne un air fantasmagorique.

La Bretagne est ainsi, d'abord toute en lumière et en changeant de point de vue, le ciel tisse du coton, laissant sur le bleu azur un sillage.

Vingt ans, vingt ans à attendre ce moment précis… Vingt longues années passées à vivre dans une banlieue grise et malade si loin de ma Bretagne.

« Le Roux tu bouges ton cul ! Intervention à Vaulx-en-Velin ».

Je saute dans l'espèce d'engin qu'on appelle un véhicule de fonction, baisse le volume de la radio qui grésille et ferme les yeux en espérant que mon abruti de binôme ne nous envoie pas au talus comme il le fait régulièrement.

La ville de Lyon est comme à son habitude, bouchons, sirène hurlante pour essayer de se frayer un chemin jusqu'au théâtre des opérations.

« C'est quoi l'histoire-là »

« Un jeune de banlieue circulant en scooter qui a chuté sur le trottoir et s'est fracassé la tête, les témoins affirment que Rébecca notre collègue de l'équipe de nuit à balancé son talkie-walkie sur la roue, et là c'est l'émeute. Tous les habitants sont très en colère après la police ».

« C'était quand ? ».

« Avant-hier ».

« Il est mort ? ».

« Oui ».

Merde… La bavure… !

« Et elle ? »

« Retournée chez elle ».

« Je te demande pas si elle est rentrée ! Je te demande ce qu'il s'est vraiment passé ».

Elle a dit que le jeune a foncé sur elle, elle a tendu le bras et la lanière du talkie s'est prise dans les rayons…

« Elle est blessée ? »

« Non, mais ils ont obtenu son adresse, il faut qu'elle déménage ils veulent lui faire la peau ! »

Elle veut quitter la police. C'est incompréhensible, pourquoi et de quelle manière des délinquants peuvent obtenir des renseignements sur les forces de l'ordre… C'est pas grâce au numéro RIO, on ne le porte plus depuis longtemps…

C'était ma dernière intervention et je ne le savais pas encore, les tripes retournées à l'idée de subir une énième guerre de rue.

Le quartier était en proie aux flammes, les poubelles éventrées fumaient encore, les voitures retournées, les femmes criaient aux fenêtres appelant sûrement un fils… Et ça courait dans tous les sens, le bruissement des baskets sur l'asphalte.

Décrire à la manière d'un peintre Vaulx-en-Velin dans ces moments de violence ? C'est immédiatement Picasso qui m'est venu à l'esprit !

« On se casse »… me glissa mon collègue en jetant un air inquiet dans le rétro, ils nous chargent.

Au loin, le hurlement des sirènes, des renforts sûrement, mais comme d'habitude ils arrivaient trop tard.

En me garant devant cette espèce de rotonde qui nous servait de lieu de travail, j'ai jeté un regard désabusé sur les poteaux qui arboraient fièrement de chaque côté de la porte des drapeaux Bleu Blanc Rouge.

Les marches usées par les godillots donnaient au seuil un dénivelé que je n'ai pu éviter…

« Merde, j'ai crié, encore failli me faire mal »

Je me suis toujours demandé pourquoi j'avais fait le choix d'intégrer la police, un rêve de petit garçon, un besoin criant de justice, ou tout simplement parce que dans notre famille on était policier de grand-père à petit fils.

Les soirées familiales passées à écouter les anciens, leur histoire, leur bonheur et leur désespoir, ceux qui savaient.

Il y avait autour de leurs yeux plissés des sillons très larges, cicatrices de leur vie.

Le regard restait vif, même si le tremblement de la main sur la canne prouvait que le temps avait fait son œuvre.

C'est peut-être à l'occasion de ces moments que l'on imagine le chemin de vie que l'on souhaite emprunter.

C'est donc moi Gabriel Leroux, gamin calme et rêveur, qui ai pris la relève.

Pourtant, ma vision du métier n'avait rien à voir avec ce que je vivais, les quartiers avaient depuis longtemps été abandonnés par les administrations et les commerçants, la vétusté visible sur les bâtiments n'en était que l'expression, leur expression.

On vivait ici comme dans un « No Mans Land », et les femmes apeurées frôlaient les murs en ramenant leur rejeton à la maison.

Et pourtant la vie s'organisait ici comme ailleurs, les centres sociaux permettaient de mettre en lien les différentes cultures qui se côtoyaient, les grands frères qu'on appelait ici les médiateurs passaient leur journée à discuter avec les uns et les autres, « ils prenaient la température », disait le Maire…

« Leroux dans mon bureau »

La voix tonitruante de mon chef me rappela à l'ordre, et c'est donc au pas de course que j'escaladais les escaliers, en me demandant encore ce qu'il me voulait.

J'imaginais une réponse toute faite, il allait encore falloir se justifier sur le fait que notre mission avait échoué.

Sa grande carcasse affalée dans un fauteuil, les pieds sur le bureau, et un gros cigare mâchonné au coin de la bouche, un PDG dans toute sa splendeur…

« Asseyez-vous ! »

« Leroux ça fait 20 ans que vous travaillez ici, nous avons connu des moments difficiles… Et nous avons eu également de bons moments, vous êtes un bon agent mais. »

La moiteur du front m'envahissait et quelques gouttes commençaient à dégouliner, je sentais le rouge me monter à la figure, c'était indescriptible, comme si on allait m'annoncer la peine de mort… putain, il voulait me virer ?

J'avais tout laissé dans ce commissariat, mes illusions, ma santé, ma vie sentimentale, mes enfants. Tout, en plus c'était insalubre, des seaux disposés çà et là pour recueillir l'eau de pluie qui s'infiltrait par la toiture…

Le chef on l'a baptisé « Bellemare », il faisait durer le suspense. J'ai coupé court à sa théâtralité.

« Chef, j'attends là… »

Il s'est raclé la gorge… Et encore…

« Leroux c'est donc à moi que revient l'honneur de vous annoncer une excellente nouvelle, enfin je pense… Votre demande de mutation est acceptée, dès la semaine prochaine vous intégrez le commissariat de Lorient. »

« Oups ».

« Pardon Leroux ? Je n'ai pas compris, je suppose que c'est la joie. »

« Oui chef ».

« Je n'ai pas l'habitude de m'étaler, mais vous êtes un bon élément, vous allez me manquer ».

J'ai failli lui répondre que ce n'était pas réciproque, mais l'heure n'était pas au règlement de comptes.

Ce que j'ai ressenti à ce moment-là il n'y a pas de mots pour le décrire… Si vite !... Mon naturel inquiet avait vite pris le dessus, une semaine pour tout boucler, pour tout quitter.

Je bafouillais par habitude un « merci chef », et je regagnais mon bureau afin de digérer ce qu'il m'arrivait, et vite, très vite j'ai commencé à faire mes cartons, dégager, avant un contre-ordre.

La photo de Malo et d'Océane, seul vestige d'une histoire passée, seul indice scotché au mur, seul pan de ma vie que j'avais exposé venait à présent rejoindre rapidement les cahiers, les crayons au fond d'un carton…

Une presque vie de travail, ça ne pesait pas lourd. Il était hors de question au vu de la crise sanitaire débutante de réunir une dernière fois mes compagnons d'infortune.

Plus je me rapprochais du port de Kernével, plus mon cœur s'accélérait, déjà 15 jours que j'étais arrivé à Lorient, et ma première enquête me ramenait sur les lieux de mon enfance.

Cette allée, elle débouche sur la mer, une rambla comme ils disent dans les beaux quartiers, mon petit port, il a gardé toute son authenticité si on occulte cette Marina qui n'était pas là avant…

Certes, le paysage a changé, et la plaisance a remplacé les chalutiers, cette forêt-là, faite de mâts plus gros les uns que les autres et qui offre à l'oreille une mélodie de drisse claquant au vent…

Je jetais un coup d'œil circulaire pour voir si mon rendez-vous m'attendait. Mon regard s'arrêta sur l'abri de bus, un abri de bus au bord de la cale, telle une gare sans voie ferrée. Un banc et un mur blanc sur lequel était dessiné un portrait suivi d'une inscription que je ne connaissais pas. « Cette nuit, la mer est noire. Florence Arthaud. »

Le désir d'un tagueur qui a voulu que le souvenir de « la petite fiancée de l'Atlantique » élise domicile ici.

Des habitations à la stature imposante offraient leurs balcons au front de mer, je me souviens encore du lever des couleurs lorsqu'un bateau militaire passait devant. Le faste militaire était resté.

Ces maisons baptisées « villa Kerozen » « villa Margaret » avaient servi de centre de transmission lors de la Seconde Guerre mondiale.

Pour cette dernière, elle offrait un parc ombragé à la vue imprenable et était devenue un bar branché apprécié des Lorientais.

« Monsieur le commissaire, ouh ouh... ».

Un homme d'une cinquantaine d'années, le visage buriné, vouté, vêtu d'une vareuse couleur saumon délavée et de bottes en caoutchouc noir m'attendait de pied ferme.

Jamais je n'avais vu des yeux aussi bleus, ils reflétaient une palette de couleurs partant du bleu azur au bleu turquoise.

« Je me demandais si je ne m'étais pas trompé d'heure », me dit-il.

« Bonjour capitaine Mérou, tout d'abord je m'excuse du retard, mais la circulation était très dense tout à l'heure… Je me demande bien pourquoi c'est pourtant pas l'heure de pointe. Et autre chose, je ne suis pas commissaire, juste brigadier. »

« Bien Monsieur le brigadier Leroux. Vous avez souhaité me rencontrer ? »

« Est-ce bien vous qui avez trouvé le corps sur la cale ? »

« Oui c'est bien ça, vous voulez que je raconte ? »

« Je vous écoute… »

« C'était samedi, le 29 février, comme tous les samedis je me rendais sur le port pour chercher de la godaille au retour de mer du "Michel et Catherine" ».

« Les goélands criaient comme à leur habitude lorsqu'ils escortent le bateau de pêche, et je regardais deux d'entre eux qui s'écharpaient pour une tête de poisson balancée du bord, mon regard alors attiré par une forme sombre qui flottait entre deux eaux retenue par la perche rouge du quai »

« Et alors ? » dis-je, agacé par cette profusion de détails.

« Salut Dédé, tu rentres pas ? »

Un autre individu nous coupait ainsi la parole sans crier gare.

« Attends tu vois bien que je suis occupé avec le commissaire, euh non, le brigadier Leroux, tu sais, le cadavre qui a atterri ici… »

« Ton cadavre il peut attendre, il faut rentrer chez toi, on a vu la télé chez la mère le Drop, ils disent que le Président de la République veut qu'on arrête tout et qu'on reste chez nous à cause du virus des Chinois. ».

Je restais figé à l'annonce du pêcheur, certes depuis des jours on parlait de cette maladie, mais on ne pensait pas qu'elle arriverait là, et encore moins à Lorient.

Je me dépêchais donc de collecter les infos en possession du capitaine avant de retourner à la voiture voir ce qu'il se passait.

Décidément, cette année n'avait pas fini de me réserver des surprises…

Arrivé sur le parking, je constatais que les musiciens étaient partis, et que le bar était fermé.

Tout était devenu étrangement calme, comme si la vie s'était figée.

J'allumais la radio et je reçus une déferlante d'infos, tout le monde parlait, se coupait la parole, on se serait cru dans un poulailler où le coq criait : STOP INFO COVID…

STOP INFO COVID…

Les voix étaient paniquées, et toute la chronologie de ces derniers jours rythmée par des annonces contradictoires se recoupait pour arriver à une conclusion… Restez chez vous…

Et mon cadavre dans tout cela… En reprenant la route du commissariat pour aller voir ce qu'il allait advenir de ma vie, je ne pouvais m'empêcher de repenser au témoignage de Mérou.

« Une femme ou ce qui y ressemblait, un corps un peu rongé, j'en fais des cauchemars toutes les nuits me disait-il, comment a-t-elle pu arriver ici… Et il faut que ça tombe sur moi… Lorsque j'ai appelé la police, j'étais tout seul, je me suis dit qu'avec ma chance on allait m'accuser…

Faut faire la lumière mon… "Brigadier" ».

Nous sommes donc le 17 mars, la saint Patrick s'achève, et il me semble la fin du monde arrivée… SOS d'un policier en détresse.

Arrivé au commissariat, je montais à l'étage voir mon supérieur.

« Content de vous voir Leroux mais à peine êtes-vous arrivé à Lorient que vous m'apportez déjà des catastrophes ! »

« Comment chef, j'ai fait quoi ? »

« Le Covid à Lorient… Cela ne peut-être que vous ! Ramené de Lyon sûrement, c'est asiatique là-bas ? »

Il se voulait d'humeur badine, mais le ton n'y était vraiment pas. Son bureau disproportionné semblait crouler sous le poids des dossiers, et les murs étaient couverts par d'innombrables photos d'individus à la mine peu recommandable.

« Bon pour l'instant on a que très peu d'info, j'ai pris la décision de vous renvoyer chez vous, vous allez récupérer le dossier et bosser comme vous pourrez de votre domicile »…

« On a pris déjà du retard, chef… La découverte de cette femme date de près de 4 semaines, et on a très peu travaillé sur ce cas »

« Faut s'adapter Leroux, »

C'est inouï cette impression d'être perdu… Il allait falloir du temps pour la digérer cette journée.

La vie s'arrête subitement, je n'ai pas encore eu le temps d'avoir peur, c'est quoi ce virus qui tue ?

Un afflux de questions m'a soudain envahi… Sans aucun sens de priorité ni de niveau, est-ce que je vais pouvoir aller faire des courses ? Est-ce que je vais pouvoir mener mon enquête ? Est-ce que je peux mourir...

J'ouvre le troisième tiroir, extirpe la pochette grise et me convaincs de quitter le boulot pour rejoindre mon chez-moi…

Des flics en quatorzaine, ça n'existe pas…

Les palmiers bougent au gré du vent, les rues sont désertes… Je franchis le pont levant, et remonte le long de l'arsenal.

La lourde porte cochère est restée ouverte, et au bout du couloir mon nouveau nid, ouf.

Ce matin le réveil est pénible, la radio crache tellement que je décide de ne plus rien écouter, c'est vrai qu'avant de dormir j'ai balayé toutes les chaînes de la télé pour me tenir au courant de la situation, c'est flippant…

Dossier confidentiel le cachet rouge et noir clignote… Allez Gabriel faut y aller…

Le samedi 29 février, un dénommé capitaine Mérou habitant Larmor-Plage a appelé nos services pour signaler la présence d'un corps sur la cale de Kernével…

Son témoignage est confus, il affirme que ses témoins qui n'en sont pas, deux pêcheurs revenant de mer, n'ont pas assisté à la découverte du corps, il dit qu'il était seul et qu'il n'a rien à voir avec ça…

Le corps à, lui, été transporté à l'Institut médico-légal où une autopsie a été pratiquée « pour une identification formelle, précise le rapport mais aussi pour faire la lumière sur les circonstances de ce drame. Les éléments : des lambeaux de vêtements, quelques accessoires, et un corps qui pourrait être féminin ».

Les policiers excluent d'emblée une chute violente « Il n'y a aucune blessure, rien de traumatique », conclut l'institut.

Nous devons tout de même accorder une attention particulière aux petites égratignures sur son visage. « Ce sont des marques de ripage, lorsque le corps reste dans la mer et que le mouvement du sable sur sa peau le blesse ».

Le corps est assez dégradé. Sur une partie de la peau de l'encre, un tatouage sûrement au niveau du cou, et un grain de beauté. On estime son âge à 35 ou 40 ans.

Une piste qui sera confirmée par l'examen du légiste. La mort résulte d'un « mécanisme d'asphyxie sûrement dû à une noyade ». Les poumons sont remplis d'eau.

La mort pourrait remonter à quelques jours, une semaine maximum.

Les services de l'identité judiciaire ont pu prélever des empreintes digitales pour les comparer au fichier national. Et là... aucune concordance.

« cette femme n'est jamais passée dans un commissariat pour une quelconque infraction. » Un prélèvement a été demandé mais les enquêteurs savent d'avance qu'il ne devrait pas aboutir.

Le verdict tombe comme une massue *« Si les empreintes ne révèlent rien, il y a peu de chance qu'on l'identifie. »*

J'étais dépité. Un cadavre non identifié, un témoin, le seul. L'affaire s'annonçait compliquée et franchement le capitaine Mérou faisait un piètre assassin, mais l'expérience m'interdisait d'écouter mes impressions.

La matinée était passée à une grande allure, et la faim commençait à me tenailler, rien mangé depuis la veille. L'ouverture du frigo fut rapide, un coup d'œil, deux croutons et un fond de pâté. Il faut aller se ravitailler, je ne sais pas combien de temps doit durer ce #restez chez vous.

Mon nouvel appartement était lumineux, et le soleil subitement, venait de se dé confiner. C'était assez étonnant. On se trimballait des pluies, du froid et des tempêtes à répétition et le jour où tout s'est arrêté, les éléments ont repris leur rôle… Le soleil brille.

Les cartons qui jonchent le sol témoignent de mon nouvel emménagement.

La supérette du quartier avait ouvert ses portes et les quelques clients se regardaient en chiens de faïence, comme suspectant un virus qui n'attendait qu'un approchement pour le refiler à l'autre… Des promesses pour des jours « joyeux ».

L'étal de boucherie était assez complet et offrait un contraste avec les autres travées, mon savoir-faire en cuisine était tellement inexistant que je cherchais des plats préparés pour ne pas dépérir. Les rayons avaient été bien dévalisés et je dus me contenter d'acheter des pâtes alphabet, les seules qui avaient été épargnées.

Le boucher, qui d'habitude nous offrait une bonne bolée de rire, était particulièrement silencieux, même si son sourire tranchait encore avec son tablier maculé.

« 6 o euros Mr Leroux… Mais il va falloir peut-être qu'on vous livre la prochaine fois, s'ils font comme en Chine, on risque de nous barricader les portes… C'est encore pire que la guerre ce virus… »

C'est un bon commerçant, quatre passages de ma part dans sa boutique et déjà il sait mon nom et me traite comme s'il me connaissait depuis la nuit des temps…

Mon cerveau en ébullition ressasse tous les éléments. Cette femme m'obsède, qui est-elle ?

Il ne me reste plus qu'à faire un appel à témoins, ce cadavre féminin, de type européen mesure 1,68 m, elle est de corpulence normale. Son seul signe distinctif est un grain de beauté, en bas du ventre à gauche et un tatouage. Elle porte un lambeau noir de marque Adidas, un pantalon de la même couleur, et une montre avec un bracelet cuir dont le nom s'est effacé. Elle est assez jeune.

Une fois rentré à la maison, je jette vaguement les courses sur la table, et après avoir avalé un gros sandwich pain pâté, je me replonge dans les autres éléments du dossier.

« Allo bonjour, vous êtes la personne qui gère le fichier des disparus ? Je suis le brigadier Leroux, je voudrais que vous me communiquiez la liste des déclarations des personnes susceptibles d'être recherchées sur le Morbihan, les femmes surtout, on peut remonter sur la période de 3 mois pour commencer. »

« Bonjour, oui je suis le brigadier Baril, vous connaissez la situation du moment, Mr Leroux ? Nous sommes actuellement en phase de continuité de service dans le cadre d'un état d'urgence sanitaire. »

« Et ? »

« Là, par exemple, vous avez appelé le commissariat et on fait suivre l'appel chez moi… Le commandant souhaite que la moitié de l'effectif reste en télétravail afin de limiter le risque de contagion. »

« Télétravail… ! Intéressant… Donc les audiences, les confrontations, les prises de plainte et les enquêtes sont faites à la maison ? » « Bon OK… Dans combien de temps ? »

« L'informaticien vient cet après-midi à domicile pour me connecter au réseau intranet, je serai en mesure de vous donner les informations, demain si tout va bien… ! Vous me laissez un numéro pour vous joindre. »

Si je fais le bilan des derniers mois, je me demande encore comment je n'ai pas disjoncté. Certes, la mutation était un évènement positif, mais depuis un mois, aucune nouvelle de Malo et d'Océane… En fait, je n'avais pas vraiment de contact avec mes deux enfants, mais il m'arrivait souvent de me dissimuler dans le véhicule de service pour les regarder sortir de l'école lorsque j'étais encore en service à Lyon et lorsqu'ils étaient encore bien jeunes.

On pouvait qualifier la situation avec mon ex de désastreuse. Elle ne m'avait jamais pardonné la faiblesse d'un soir, une jolie rousse au museau de fouine et au décolleté vertigineux.

Nous avions 15 ans de mariage au compteur. À cette période et après quelques pintes, l'envie de m'épancher fut très forte et l'irréparable consommé… D'ailleurs, cet épisode aurait pu rester secret, mais en sortant du bar je croisais Alice, la meilleure amie de ma femme ».

L'amitié entre femmes est un drôle de sujet. Sous couvert de complicité, elle te balance ce qu'elle a vu et ensuite, s'en veut d'avoir brisé une si belle histoire !

La sonnerie du téléphone transperce le bruit du silence, et me sort brutalement de ma rétrospective.

« Qui vous dites ? Parlez plus fort ». La voix était couverte, voire maquillée.

L'appel dura moins d'une minute autant dire anonyme. La voix répétait :

« Je l'ai vu, il l'a poussé sur la jetée de Lomener, il y avait de grosses vagues, il s'est penché pour voir… Et il est parti en courant et il est monté dans sa voiture. C'était un jeudi, le 27 février très tôt 8 heures du matin… »

« Qui êtes-vous ? On peut se voir ? »

Trop tard, le bip aigu venait de signifier la fin de la conversation.

Comment avait-il eu mon numéro ? Qui était-il ? De qui parlait-il ?

Par la fenêtre ouverte, des applaudissements crépitent de toute part, je m'accoude et là, une vision hallucinante… Tous les voisins des immeubles sont sur les balcons, il y a même une banderole accrochée sur laquelle on peut lire MERCI…

Le confinement fait son effet, ils deviennent tous dingues ? Ou alors l'humanité est de retour, il est temps d'allumer la télé et voir ce qui se passe en dehors de cette recherche obsédante qui m'occupe les trois quarts du cerveau.

Assis sur le fauteuil, je me sens comme écrasé, assommé… Mais c'est sérieux cette histoire, 1 h 30 de BF MERDE… Des morts énoncés à chaque moment, des personnes en réanimation, plus de place pour les soigner, l'armée. C'est mondial… Des masques… Comment j'ai pu passer à côté de ça.

Il reste 1 bouteille de vin dans le placard… Je m'étais promis de ne pas retoucher… Mais l'envie est trop forte, boire un coup, oublier…

La nuit a été courte… On frappe à la porte, j'ai mal aux cheveux comme on dit ici.

« Salut, comme promis je t'apporte le résultat de mes recherches et comme je suis un gars pratique j'ai envoyé aussi du matériel afin que tu puisses investiguer par Visio. »

Ce gaillard mesure près de 2 m, des cheveux aussi blonds que les champs de blé, un bonnet vissé sur la tête, cela fait plus de 15 ans qu'il bosse au commissariat, et ses compétences sont vantées par tous, le fin limier on l'a nommé car dès que tu lui confies une recherche il trouve toujours mais son vrai nom c'est Ange… Pour un flic c'est cocasse… Et notre binôme Ange Gabriel… Encore plus éclatant ! Intervention divine du destin.

Le masque qui lui cache une partie du visage m'interroge, et la main que je lui tends reste en suspens…

« J'ai trois déclarations de personnes majeures disparues sur cette période, un homme et deux femmes, l'homme est parti de chez lui, sans aucune affaire personnelle, sans téléphone ni argent, d'après les informations que je possède il était dépressif. Les deux femmes viennent d'ici une de Lorient l'autre de Lomener. »

« Lomener ? Vas-y… »

Lomener, une autre partie de mon enfance…

Déclaration enregistrée le 27 février 20 heures par le propriétaire de l'immeuble, il lui louait une chambre depuis 6 mois, une femme brune de taille moyenne, excentrique, voire toxico. Il devait effectuer une réparation sur le lavabo, et après plusieurs tentatives de rendez-vous, il s'est rendu là-bas et a ouvert la porte…

Un joli bordel organisé l'attendait, une valise éventrée et sur la table une feuille sur laquelle on pouvait voir écrit ADIEU en rouge sang. De la vaisselle entassée, dans un évier qui ne doit pas sa blancheur à Jacob Delafon. Quelques cartons encore ouverts où étaient entassés des papiers et des bibelots, juste arrivée ou départ en vue ?

Bref, la vraie scène de crime…

« Et alors ? Quelle suite on a donnée, je n'ai rien vu dans le dossier ? Y a eu enquête ? »

« Ben tu sais en France, plus de 40 000 personnes disparaissent chaque année. Plus de 30 000 sont retrouvées. Il reste environ 10 000 disparitions non élucidées et classées inquiétantes, chaque année… »

« Et pour le corps qu'on a retrouvé ? On ne fait pas de lien avec les personnes supposées disparues ? »

« Parfois on croise les fichiers, mais là ça rentre dans le cas de nombreuses personnes disparues. Non identifiées, elles sont enterrées sous X car il n'existe aucune obligation légale pour les communes, d'identifier par un test ADN un corps découvert en France. »

« La France, pays des libertés »

« OK, le mystère reste entier, donc si je résume : Je suis chargé d'un dossier pour un cadavre de femme trouvé dans la mer, et j'ai une chance sur mille de savoir qui elle est.

Ah au fait, j'allais oublier, un type m'a téléphoné pour me dire qu'il avait assisté à Lomener à une scène de crime, tu sais comment il a pu avoir mes coordonnées ? »

« Oui, c'est dans les protocoles, ils appellent au poste et on les met en relation avec le référent de secteur. »

« On garde une trace des appels ? »

« Je ne sais pas. »

« Je suis donc référent ? Ce serait bien de m'en informer ! »

Le chef a dit « C'est pour Leroux, c'est son coin. »

« En même temps, je trouve que tu as du cul… t'as un cadavre, et un témoin… »

« oui anonyme, ça va m'aider… »

« Et l'autre disparue de Lorient ? »

« Apparemment, ça ressemble plus à une fugue amoureuse, son mari a signalé sa disparition et dans sa déclaration il indique qu'elle a vidé le compte en banque ainsi que son armoire. »

« Oui en effet, tu veux boire un coup ? »

« Non je rentre, ma femme travaille à l'hôpital et là-bas c'est en tension, ils vont faire venir des Parisiens en réanimation, plus de place à la capitale. »

« Merci en tous cas. »

C'est interminable, déjà trois jours que je tâtonne dans cette affaire, avec une impression d'immobilisme, je ne peux voir personne, je me sens en prison, bref j'étouffe… Faut que je sorte.

Tous les chemins mènent à Lomener, c'est le dicton du jour car j'atterris direct sur le parking qui longe la mer, l'adresse griffonnée sur le papier est un peu illisible. Compétent Ange, mais patachon.

Je n'arrive pas à m'y faire. Tous ces endroits sont désertifiés, même si j'ai le privilège d'être seul à respirer l'iode.

Lomener n'a pratiquement pas changé, le moulin bleu s'est agrandi, et cette ruelle qui mène à la digue est juste un peu plus défoncée… L'unique banc sur le port aurait grandement besoin d'un coup de vernis…

Je suis très ému. C'est ici que j'ai échangé le premier baiser avec Elisa, il y a déjà 25 ans, elle était en vacances chez ses grands-parents, des Bretons de pure souche.

Ma tante habitait ici. Souvent de Kernével à Lomener, un périple familial s'engageait. Ma tante était boulangère et l'été il y avait beaucoup de travail, alors pendant que mes parents aidaient au commerce, moi je gambadais sur la plage.

C'est à cette occasion que je l'ai rencontré, habillée d'une jolie robe blanche, une tresse tombante et des yeux vairons.

Souvent, je lui ai dit qu'elle m'avait tapé dans l'œil, c'était facile…

La chanson de Joe Dassin, « l'été indien » était sûrement à l'origine de l'intérêt qu'elle avait eu pour moi. Dès que je la voyais, je lui fredonnais ces paroles :

« Avec ta robe longue, tu ressemblais à une aquarelle de Marie Laurencin et je me souviens… Je me souviens très bien de ce que je t'ai dit ce matin-là.

Il y a un an, y a un siècle, y a une éternité… »

Ma mère me disait « tu les mettras toutes dans ton lit… » Elle n'avait pas vu, pas compris que j'étais déjà dingue d'Elisa.

Son corps mat et souple comme une liane ne demandait qu'à être caressé. Ses baisers chauds comme la braise réveillaient en moi une passion qui m'étreignait le cœur… Nos soirées entières passées à se toucher, à se faire des promesses, à s'imaginer une vie à deux.

Nous avions 15 ans et tout le monde nous trouvait trop jeunes… Et pourtant notre amour a survécu, et c'est à 20 ans que nous avons enfin pu concrétiser notre amour en emménageant un nid douillet à Lyon, nid vite rempli par l'arrivée d'Océane, notre premier enfant.

« Pardon, excusez-moi. »

Celui-là, je l'ai pas vu arriver, tellement perdu dans ma rêverie. Un drôle de bonhomme au visage de poupon venait de me percuter de plein fouet…

J'étais furieux.

« Police ! je lui criais, vous n'avez pas le droit d'être là, vous avez votre attestation ? »

Lorsqu'il m'a regardé avec un regard très étrange venu de loin, j'en ai déduit que je venais de faire la rencontre de l'idiot du village. »

« C'est bon, circulez ! » Puis je me ravisais.

« Attendez, vous connaissez la rue des embruns ? »

Il pointa son index vers la digue, en clignant des yeux ronds comme une poupée.

« Là… »

Je n'ai pas eu le temps de le remercier qu'il s'était déjà enfui. Il faisait très jeune, mais quelque chose qui émanait de l'intérieur lui donnait une impression de grand âge.

Le moulin bleu était un restaurant avec une terrasse remarquable face à la mer. Il était réputé pour les soirées concerts, et ses fameuses moules à la sauce piquante.

Les chaises posées sur les tables, la porte close, ce bar vidé de son âme… Non je ne rêvais pas. Arrivé au bord de la digue, je regardais à l'intérieur de la tour de l'ancien poste des douaniers. Il y avait une meurtrière qui donnait sur la mer. Dans ma jeunesse, je m'arrêtais souvent pour regarder un hippocampe fixé dans un tableau de bois accroché au mur…

Mais comme certains de mes souvenirs, il avait disparu.

Je décidais de partir à l'assaut du chemin des douaniers qui devait déboucher sur l'adresse que je cherchais.

Rue des embruns, numéro 25, belle bâtisse presque encerclée par la mer, me voilà chez la disparue. »

Par précaution, j'apposais sur mon visage. Le masque que m'avait fourni Ange. Une entrée sombre, trois boites aux lettres, un nom attira mon regard, Marie Nogués, 1er étage à droite.

Petite foulée pour arriver sur le palier, puis je sonnais. Mais bien évidemment, aucune réponse.

Qu'attendais-je en venant ici, que la disparue m'ouvre la porte ? Allez, Gabriel Leroux, arrête de rêver…

Il me fallait plus de méthode, c'est ce que j'ai appris à l'école de police à Lyon, des faits rien que des faits.

Je décidais donc de faire demi-tour et contacter le propriétaire pour avoir plus de détails.

Après une nuit agitée, la bouche comme un cendrier par le nombre de cigarettes que j'ai fumé hier soir, je saute dans mon pantalon. J'ai même applaudi à 20 heures histoire de me sentir moins seul…

C'est devenu un rituel !

Les infos aussi commencent par des images de tous les endroits en France ou ça applaudit. Des femmes et des hommes sur les balcons.

Je me demande pourquoi on a oublié d'écouter le monde médical lorsqu'il était dans la rue pour dénoncer le manque de moyens. J'avais honte d'être flic à Vaulx-en-Velin quand certains de mes collègues se vantaient d'avoir aspergé de gaz les blouses blanches. Comme ils disaient…

Il est beau le résultat. On a fermé des lits et maintenant on va envoyer nos malades en Allemagne, j'ai dû passer à côté de beaucoup de choses pendant 20 ans… La réalité nous rattrape.

« Allo »

« Bonjour, puis-je parler au commandant ? »

« Oui ».

« De la part de qui ? »

« Gabriel Leroux, brigadier-chef ».

L'attente est interminable, peut-être que le chef est en télétravail, rien qu'à l'idée je rigolais tout seul…

« Oui Leroux j'écoute, mais magne-toi, j'ai autre chose à faire »

« Chef, est-il possible que je puisse venir au poste travailler, là j'en peux vraiment plus, les jours sont interminables, et pour l'enquête le huis clos c'est très compliqué. »

« Tu ne vas pas me faire chier Leroux, t'es peinard chez toi et tu viens me faire chier alors que j'en suis réduit à surveiller les plages pour ne pas qu'un con aille se baigner… On fait des rotations. La semaine prochaine, on y verra plus clair… Nous attendons les directives du gouvernement. »

Je me suis toujours demandé pourquoi nos chefs nous tutoyaient. Pourquoi prenaient-ils toujours des attitudes de bouledogues pour s'adresser à nous ?

À l'école de police, ils insistaient pourtant pour que l'on respecte notre interlocuteur. À l'évidence, nos supérieurs avaient oublié leur cours, à moins qu'ils ne s'en soient exclus…

Bon ben, j'ai essayé… Je déballe le bel ordinateur que m'a donné Ange et après maintes péripéties j'arrive enfin à brancher la webcam, relier l'imprimante… Et pourtant, je suis réfractaire aux technologies… J'ai toujours préféré la mode à l'ancienne.

Code wifi, interminable, cette suite de chiffres me donne la nausée…

En tous cas, la bonne nouvelle c'est qu'ils ont trouvé les sous pour nous équiper… Il y a six mois, les collègues de Lorient manifestaient aussi pour avoir des moyens et du matériel en bon état, ils auraient dû attendre, ça leur aurait évité quelques blâmes.

Voilà. Tout est étalé sur la table. Les rapports, les témoignages, il faut que j'avance… Pour le cadavre, c'est clair que je ne peux rien faire d'autre. Sauf peut-être…

Évaluation de l'ancienneté du cadavre : de 2 jours à 3 jours.

Détermination de la race : étude des différences macroscopiques anthropologiques. Non renseigné métissage possible.

Détermination de l'âge : Étude macroscopique de la symphyse pubienne.

Étude radiologique du plastron sternal et étude dentaire. Méthode de Lamendin : estimation 35,40 ans.

Identification de restes Humains : stature (fémur et lombaire) d'après la formule de Fully : environ 1m63.

Conclusion : Examens anatomo-pathologiques, toxicologique pas assez satisfaisants envoi du dossier à la police scientifique.

J'ai eu l'impression de retourner sur les bancs de l'école de police. Mon prof me disait toujours que lorsque les indices visuels ne sont pas exploitables le processus d'identification peut être perturbé. Dans ce cas présent, les restes ont été un peu décomposés par les éléments.

Retour à la case départ, je vais appeler Ange.

« Salut, c'est Leroux »

« Salut, un problème avec le matos ? »

« Non je veux creuser l'idée au sujet de la disparue et faire le lien avec mon cadavre, mais pour cela j'ai besoin que tu regardes les suites du dossier envoyé par la police scientifique. De préférence des empreintes dentaires. Je tente le coup pour miser sur cette piste. »

« La science n'est pas une loterie Leroux. »

« Je te l'accorde, mais je suis assez joueur. »

« Avant de raccrocher, tu peux me dire qui a suivi le dossier de la disparue de Lomener ».

« Je te rappelle, je suis de rotation et donc je vais au poste. Je crois que c'est Norman. Je te dirai »

Bon, cette fois je vais enfin m'offrir une pause.

Le frigo est encore vide, je me ferai bien un petit resto, mais non pas possible, même pas moyen d'aller boire un coup sur le port.

C'est reparti, épicerie, les pâtes n'ont toujours pas intégré les rayons ce sera donc des conserves.

« Monsieur Leroux ? »

J'ai répondu par l'affirmative en me disant tout de même qu'il était bien familier…

« Vous devriez repasser à l'entrée »

« Excusez-moi, pourquoi ? »

« J'ai été informé par votre voisine que vous n'utilisez pas le gel désinfectant que l'on a mis à l'entrée »

« Oui c'est vrai, j'avais la tête ailleurs »

« Vous oui, mais pas nos clients. »

« Le bruit des bottes ! »

« Pardon, Mr Leroux ? »

« Non non c'est rien, je vous paye en sans contact alors ? »

« Oui, c'est plus prudent, compliqué de nettoyer le terminal après chaque personne. »

« Bonne journée. »

« Oui vous aussi ».

J'ai encore abusé, une bonne bouteille pour ce soir pour accompagner ma boite de sardines.

Sur l'écran, COVID… RETOUR AU DIRECT.

Nous sommes presque au mois d'avril 2020, les morts se comptent en centaines, les directs se multiplient sur les médias et les témoignages des soignants s'enchaînent.

« Au secours, donnez-nous des masques. »

Je ne fais pas trop de politique, il paraît que dans mon métier commencer à réfléchir c'est désobéir, mais il faut avouer que cette situation-là… C'est du jamais vu.

Fatalement, à force de cogiter, le bourdon me revient. Que deviennent mes enfants, et le bac pour Océane va-t-elle pouvoir passer les épreuves ? Elisa mon ex-femme travaille dans un établissement pour personnes âgées, comment fait-elle pour Malo ?

Fatigué par tous ces questionnements qui n'auront pas de réponse, j'ai fini par m'endormir sur le canapé.

C'est le son strident du téléphone qui me sort de mon sommeil…

« Leroux, on a du nouveau par le ministère, vous allez pouvoir revenir au poste, mais en appliquant les gestes barrières. »

« Comment ça les gestes barrières, vous n'allez pas me remettre à la circulation ? »

« Mais non Leroux, on va éviter de se croiser. »

« Plus d'apéro alors, chef ».

« Très drôle Leroux, la Bretagne vous réussit bien, un petit stage à l'école du rire et ça va être une franche rigolade de bosser avec vous. »

« Et votre affaire on avance ? »

« J'ai mis Ange sur une partie du dossier notamment sur le rapport en cours de la police scientifique, et justement si je peux revenir au poste, je vais pouvoir suivre les dispositions qui ont été prises concernant l'avis de recherche de la femme de Lomener. »

« Vous y voyez un lien ? »

« Peut-être. Allez bonne soirée, chef. »

Ce soir j'ai décidé de divorcer de BFM ERDE, j'en peux plus, c'est anxiogène au possible. La présentatrice qui a presque failli s'excuser aujourd'hui parce qu'il y avait moins de morts qu'hier… Le hit-parade de l'Europe… Nous moins ! Parce que l'on sait mieux faire ?... L'info à tout prix ! Juste pour faire du fric.

Pendant 1 an à Lyon, j'ai bouffé du gilet jaune, tous les samedis et même le dimanche lorsqu'ils étaient en forme, sans oublier toutes les manifs contre les réformes.

Je suis bien content d'avoir quitté les grandes villes car le réveil des gens va être violent dès que l'affaire Coronavirus va s'arrêter…

Le zapping des chaînes commence, ils ont remis les films de Noël peut-être pour refaire le Premier de l'an, oublier 2020 et repartir en 2021. Finalement, j'opte pour une émission en direct de « #Restezchezvous », la télé a su se réinventer disent-ils, je dois avouer que ce côté voyeur en entrant dans l'intimité des artistes, ou du quidam ne me déplait pas. Les animateurs télé en télétravail. C'est cocasse ! Surtout quand leurs gamins font une interruption sur la chaîne du direct.

Demain est un autre jour. C'est ce que je me dis tous les soirs, sauf ce matin, ce sont les oiseaux qui ont remplacé le réveil, ça piaille de partout, le soleil est déjà rentré par tous les interstices des volets, une vraie journée d'été.

Un dernier coup d'œil dans le miroir à essayer de discipliner quelques mèches qui, en l'absence de coiffeur, se sont découvertes un côté rebelle… Et c'est parti.

Le commissariat de Lorient est un long bâtiment qui est presque face à la mer, je dis presque car c'est plutôt le bassin à flots. Côte à côte, les bateaux se lovent, du plus petit au plus sophistiqué. Je laisse à ma gauche le palais des congrès, et continue en sinuant entre les chaînes qui bordent les quais.

J'y viens à pied, stationner en ville, ça relève de la mission impossible. Le va-et-vient d'une dépanneuse de l'entreprise « Dat Auto » et l'efficacité de la police municipale qu'on a oublié de confiner ne m'encouragent pas à prendre ma voiture.

Je musarde sur le pont levant. C'est une particularité de cette ville maritime, la route se lève pour permettre aux bateaux de rejoindre le large et de rentrer dans l'avant-port. La première fois que je l'ai emprunté, j'ai été stoppé par un feu, je m'étais alors fait cette drôle de réflexion, pourquoi un feu rouge…

Lorsque l'ouvrage en asphalte s'est levé, je suis resté stupéfait, je n'avais plus ce souvenir en rayon dans ma boite d'enfance !

Dans sa cabine, le capitaine du port me faisait signe de reculer…

Lorient est une ville balafrée par son histoire, des bâtiments d'après-guerre jouxtent les quelques belles demeures rappelant le faste de la Compagnie des Indes.

Depuis quelques années, de nouvelles constructions ont vu le jour, et les espaces verts se teintent d'un exotisme qui n'est pas pour déplaire, les palmiers ont appris à vivre sous ce climat et si on a de la chance on peut croiser au détour d'un parc quelques beaux exemplaires d'oiseaux du paradis.

C'est vrai qu'avec la nouvelle gare et ses TGV, le temps de rail qui sépare Lorient de Paris a beaucoup diminué, un nouvel eldorado pour les gens de la Capitale.

Le festival inter celtique est également un des atouts de Lorient, une volonté d'ouverture aux différentes cultures celtes, d'ailleurs j'avais promis à Océane et Malo de les y envoyer… Pour cette année, ce ne sera sûrement pas possible.

« Leroux ».

Quelle manie il a de gueuler tout le temps, à peine rentré j'ai l'impression qu'il a un radar.

« Venez dans mon bureau, j'ai récupéré les éléments suite à la déclaration de disparition qu'a faite Mr Alvarez ».

« Alvarez ? ».

« Oui le propriétaire de l'immeuble, il n'arrivait pas à rencontrer sa locataire, et… »

« Oui ! ne vous fatiguez pas chef, ces éléments je les ai, ce que je veux savoir c'est ce qui s'est passé après. »

« Est-ce qu'on a envoyé quelqu'un pour visiter l'appartement, prise d'empreinte et tout le cirque » ?

« Non, on a été bousculé avec le virus, sa disparition est annoncée depuis le 27 février, mais tout fait penser que depuis quelque temps personne ne l'avait vu. »

« D'autres éléments, chef ? »

« Alvarez m'a dit que c'était une fille de la DDASS, Ddass d'un jour, Ddass toujours, et il a ajouté ça dans sa déclaration ! »

« C'est quoi ces jugements à l'emporte-pièce ? »

« Leroux, je vous paye pas pour faire de la psychologie de comptoir ! »

Je me suis retenu d'ironiser sur le fait qu'il s'octroie un pouvoir qu'il n'a pas…

C'est lui qui me paye ? C'est incroyable d'entendre ça, on dirait que mon salaire sort de sa poche ! Mais bon.

Déjà à Lyon j'ai failli passer en commission de discipline pour avoir « manqué de respect » à mon chefaillon, c'était il y a déjà 10 ans.

Les aléas du confinement commencent… Un nouvel imprévu avant ma visite à Lomener… Mon véhicule et mon équipe réquisitionnés.

« OK chef, je vais contacter Alvarez, j'envoie une équipe sur l'appartement, mais nous devons faire une intervention avant ».

« À tout à l'heure chef… »

« Kalmi 8, Kalmi 8, » crache la radio, j'avais déjà oublié le bonheur d'être à 4 dans le panier à salade. »

« Oui Kalmi 8 j'écoute »

« Vous partez en patrouille là, on nous signale une rixe à côté du magasin Leadl ».

« Motif de la rixe ? »

« Du papier toilette »

« Quoi ? »

« Du PQ vous êtes bouché ou quoi... » lâche-t-il. « La spéculation les gars, c'est comme les pâtes, ils achètent en grand stock et après ils revendent au marché noir. »

Je ne savais plus si je devais éclater de rire ou si j'avais envie de me pendre, je me tournais vers le chauffeur et lui demandai si l'intervention allait durer longtemps car j'avais réussi à avoir Alvarez et il nous attendait vers 15 h.

« On y sera, non c'est rapide, dès qu'on arrive en général, ils détalent comme des lapins. Courageux mais pas téméraires. »

Le parking du discounter était bondé, et le ballet des chariots remplis offrait un spectacle assez étonnant, alors que la majorité de la population était confinée.

J'attendais patiemment que le calme revienne pour rejoindre mes collègues, après tout ce n'était pas mon boulot !

Je n'avais pas prévu qu'on embarque deux malfrats du dimanche, et c'est donc après avoir posé les paquets que nous prenions enfin la route des plages.

L'homme est devant l'immeuble, il fait des va-et-vient l'air très contrarié, longiligne, un mégot au coin des lèvres et à notre vu son visage se fend d'un large sourire.

« Faux cul » pensai-je.

Ce type m'a fait mauvaise impression dès la première seconde, type méditerranéen, chemise en jean bien ouverte sur le torse flanqué d'une grosse chaîne en or, une balafre qui lui barre le visage.

On dirait un proxénète de seconde zone… Euh non, troisième zone plutôt.

Décidément les usages ont la vie dure, je m'approche de lui en lui tendant la main, avant de la lui retirer en bredouillant de vagues excuses.

Le chemin des douaniers que nous avons pris pour arriver jusqu'à la demeure est lumineux, le clapot qui balaie la surface de l'eau forme autant de petites étincelles qui m'obligent à me protéger les yeux, qu'elle est belle cette Bretagne.

Avant d'emprunter le couloir, mon regard accroche celui d'un petit bonhomme qui se tenait coi dans le recoin de l'immeuble en face, je reconnais le type qui m'avait bousculé lors de ma première visite, celui que j'avais nommé l'idiot du village. Hasard, sûrement.

« Comme je vous l'ai dit au téléphone Mr Alvarez c'est moi qui vais mener l'enquête sur la disparition de Marie Nogués. »

« Vous avez fait une déclaration de disparition le 27 février 2020 à 20 h, suite à l'absence prolongée de votre locataire, c'est exact ? »

« Oui, en fait je lui avais donné rendez-vous pour que je répare le lavabo de la salle de bain, il fuyait m'avait-elle dit. »

« Vous êtes plombier ? »

« Non mais je suis bricoleur ».

Je ne pouvais pas imaginer ce grand escogriffe accroupi sous un lavabo, son verbiage n'allait pas avec son ramage…

« J'avais rendez-vous avec elle le 23 février, j'ai fait le pied de grue pendant quelque temps et las d'attendre, je me suis dit que je la rappellerais. Cela ne devait pas être si important comme fuite. »

« Ensuite ? »

« J'avais un chantier dans le coin, et du coup je suis revenu à plusieurs reprises, à chaque fois la porte était close. Il y avait aussi du courrier dans la boite aux lettres.

Je suis repassé au bar du Moulin bleu pour la voir, elle y trainait souvent, et j'ai demandé au patron s'il ne l'avait pas vue. »

« Allez, venez-en au fait, qu'a-t-il répondu ? »

« Qu'elle devait lui donner un coup de main pour le service du soir le 25 mais qu'il ne l'avait pas vue, ni depuis d'ailleurs »

« Alors, qu'avez-vous fait ? »

« Je suis donc rentré dans l'appartement pour voir si elle n'était pas malade, vous savez avec ce virus on n'est sûr de rien… »

« Oui, passons à autre chose, j'ai bien compris que vous faites dans l'humanitaire… »

Il me tapait sur les nerfs et cela devait commencer à se voir ou du moins à s'entendre…

« Et comme je l'ai déclaré à la police, j'ai vu la valise, celle-là comme vous la voyez je n'ai bien sûr rien touché, regardez on laisse des appartements propres en faisant confiance, et voilà dans quel état on le retrouve, et regardez le papier là… C'est écrit "Adieu", avec du rouge à lèvres non ? D'ailleurs, c'est tout de suite après que j'ai appelé la police. »

« L'enquête c'est moi merci ! »

« Bon les gars, empreintes, fouillez partout, tout ce qui peut ressembler à un indice, ou tout ce qui vous paraît intéressant. »

Je me retournai pour regarder Alvarez, il se frottait les mains tel un maquignon qui va faire une bonne affaire…

« Pas confiance en ce type » me répétai-je.

« Elle avait un véhicule ? »

« Pas à ma connaissance »

« De la famille ? »

« C'était ma locataire pas ma maitresse ! » me répondit-il agacé.

« Alors lorsque vous louez vous ne demandez aucun justificatif ?

Vous déclarez ce logement ? »

« Non, c'est juste pour dépanner. »

« Pourquoi alors, avez-vous déclaré qu'elle était de la DDASS, si vous ne la connaissiez pas ? »

« En fait, nous avons eu l'occasion de nous voir de temps en temps, oui je vous l'accorde, elle est jolie, mais ce n'est pas parce qu'on est au régime qu'on ne peut pas lire le menu. »

Quelle élégance...

« Pas de famille alors ? »

« À ses dires, non »

« Depuis combien de temps elle louait le bien ? »

« Elle est arrivée au mois de novembre, le 17, je crois »

« Elle réglait comment le loyer »

Mal à l'aise, il se tortillait, soudain il me répondit d'une voix sortie d'outre-tombe

« En espèces… »

Les gars prenez aussi tous les papiers qui…

Les mots ont stoppé net… Je venais de voir le portrait d'une jolie femme qui ressemblait étrangement à Elisa…

« C'est elle ? Monsieur Alvarez »

« Oui »

« C'est le genre de fille qui ne passe pas inaperçue dites-moi ? »

« Oh vous savez moi j'en croise tellement des filles, alors une de plus ou de moins ça va pas changer la face du monde »

« Et la drogue ? »

Il me fit volte face, comme si je lui avais foutu une gifle.

« Quoi la drogue ? »

« Vous ne savez pas si elle en prenait ? »

« Non, j'en sais rien et puis moi la drogue, j'y touche pas c'est trop dangereux… »

Je ramassai un petit bout de carton qui trainait par terre et le rajoutai aux objets déjà collectés.

« Vous ne touchez pas aux femmes, pas à la drogue, vous vous fabriquez un passeport pour le paradis ? »

Trop c'est trop, c'est vrai pépère que je t'imagine sage, vertueux, à côté de bobonne, amoureux et respectueux…

Je ne t'aime pas, je ne t'aime pas du tout Alvarez…

Hypocritement, je hochais la tête afin de calmer la colère qui montait en moi.

« Bon, c'est bon ? On peut partir, vous avez fini ? »

« Monsieur Alvarez, nous allons devoir poser les scellés sur la porte. En attendant la fin de l'enquête, plus personne ne peut entrer. »

« Mais que va-t-on dire ici ? »

« Ce n'est pas mon problème ! »

« Dernière question Monsieur, qui d'autre habite l'immeuble ?

« Mr Lecat, un vieux monsieur de 80 ans, il est invalide, c'est une aide à domicile et Mme Latouche la voisine qui viennent lui rendre visite et l'aider.

Mme Latouche c'est une ancienne institutrice, calme, posée, elle aide au presbytère et fait de l'aide aux devoirs de temps en temps ».

« Merci Mr Alvarez, je vous prie de vous tenir à ma disposition si j'en ai besoin »

« Pourquoi ? Vous me soupçonnez ? »

« De quoi ? Marie Nogués est peut-être absente momentanément. Faut vous détendre Alvarez, sinon faut tenter le Xanax.

Je quittai le chemin des douaniers afin de regagner l'estafette (comme j'aimais à dire).

Les collègues collés à mes basques, je jetai un dernier regard vers la maison. À la fenêtre qui donne sur la façade avant, le rideau s'est agité. Étrange ! Je me sens épié.

Quelle journée, cette espèce d'interrogatoire me fatigue, le soir, au repos c'est comme si les éléments d'un puzzle dansent devant mes yeux et pendant que certains comptent les moutons pour s'endormir, moi j'essaie d'assembler les morceaux… Et souvent ça dure jusqu'à l'aube.

Déjà 22 heures, une douche rapide et me voilà affalé sur le fauteuil, je repense à ma voisine qui en rentrant s'est éloignée de moi comme si j'avais la peste. Je ne sais pas quelle mouche l'a piquée, à moins qu'elle aussi pense que je peux ramener des virus à la maison.

Bon, demain c'est compilation et recoupement au programme, j'espère que cette pêche d'aujourd'hui nous mettra un peu sur la voie.

Le chef veut nous voir ce matin, vers 11 h, il nous annonce tout d'abord la prolongation des mesures d'urgence, donc davantage sur le terrain et comme dessert le contrôle des autorisations de sortie…

Un sourire pour nous accueillir, je crois que c'est la première fois. Il nous annonce qu'à midi on mange tous ensemble car à Lanester le patron d'un restaurant prête ses cuisines au chef.

Depuis le début du confinement celui-ci prépare des petits plats pour le personnel soignant, c'est une fête à chaque fois pour eux, de bons repas pour ceux qui, lorsqu'ils finissent le service vont se coucher le ventre vide faute de ne pas avoir eu le temps de faire leurs courses.

Hier, ils ont livré les pompiers, et aujourd'hui c'est pour nous… Je n'aurais jamais cru qu'on puisse devenir populaire à ce point…

Il y a peu de temps encore je me couchais avec ce putain de refrain « tout le monde déteste la police ! » traumatisme de la dernière période lyonnaise.

J'avais oublié combien c'est bon un couscous, c'était assez cocasse de nous voir dans la salle de pause 1 par table, par contre, pour le masque j'ai déclaré forfait, les graines ne passaient pas à travers les mailles du filet… Le comble pour un flic…

Mon ami Google est fâché, je marque le nom de Marie Nogués sur le moteur de recherche, et il lui semble que « hum l'application a rencontré un élément fâcheux… Embarrassant affichage-écran. »

Après quelques essais et beaucoup de déboires, j'abandonne enfin : Nouvelles technologies qu'ils disent… Un historique vestige de la dernière information trouvée sur la toile : Marie Nogues : œuvres (1 ressources dans data.bnf.fr) ouvrage qui traite des troubles du langage de la Maladie D'Alzheimer…

Cette Marie-là ne doit pas être celle que je cherche…

Lorsque je repense à la rencontre avec Alvarez, je me surprends encore du rapprochement que j'ai fait en voyant la photo. Si je commence à voir mon ex-femme partout, c'est un peu flippant, au bout de 5 ans de séparation il faut que je m'interroge ou alors que j'envisage une psychanalyse.

Après des courses rapides, direction appart… On se pose. Est-ce que ce soir je vais encore passer mon temps devant ce putain d'écran plasma qui à lui seul emplit mes soirées ? Non sans moi cette fois-ci. Je me plonge dans l'exploration d'un des cartons que je n'ai pas encore défait depuis mon emménagement et après avoir évité la tranche du livre des misérables, je saisis l'album photo, rescapé de mon ancienne vie. Soirée nostalgie assurée…

Levé de bonne heure ce matin, on tambourine à la porte, je me penche pour regarder par l'œil qui vient frapper à cette heure matinale, je suis encore engourdi par cette nuit entrecoupée de cauchemars.

Je vous avais dit qu'Ange était un géant ? Par l'œilleton, je ne voyais qu'un haut du corps et en ouvrant je le vis hilare, content de m'avoir roulé…

« Salut Leroux, je te réveille ? »

« Non pas vraiment, j'ai déjà déjeuné et je m'apprêtais à descendre au taf, qu'est ce qui t'amène, tu viens récupérer le matériel ? »

« Non, je viens te dire que t'es cocu. Sa grande carcasse était secouée de spasmes, et son rire me laissait entrevoir une magnifique mâchoire avec une rangée de dents qui aurait fait pâlir d'envie un beau requin bleu. »

Mon poing s'est serré… Je lui casse la gueule maintenant ? Cocu…

« Je ne sais pas comment je dois le prendre Ange, il est 7 h 45 tu tambourines à ma porte et tu me traites de cocu ».

« Mais non, je t'explique, hier j'ai fait les croisements des empreintes entre ta disparue et ton cadavre et bingo ! T'avais raison… »

« Je croyais qu'au niveau des empreintes ça n'avait rien donné. »

« Non, les empreintes ne figuraient pas sur le fichier national, mais hier ton équipe m'a fourni les relevés effectués dans l'appartement que vous êtes allés visiter, j'ai tout simplement comparé les deux, c'est toujours exploitable.

C'est incroyable l'intuition, certes ce n'est pas scientifique, mais dans chaque affaire que j'ai suivie ça m'a aidé. »

Dans ma tête ça bouillonne sec, pourquoi ? Qui ? Comment ? Alvarez ? Il a bien une tête de vainqueur celui-là.

« Ange, j'ai failli te faire une tête au carré avec tes conneries… Tu bois un café ? »

« Oui, si tu veux, et ensuite je dois prendre contact avec la scientifique, j'avais demandé les empreintes dentaires, nous allons vérifier si cette femme était suivie ici, et comparer également ce point, il va falloir ensuite redonner une identité au cadavre, et voir si elle avait de la famille… Bref, la routine. »

Le cri de la mouette retentit dans l'appart, je saisis mon téléphone : Un message…

« Appelle-moi ce soir. »

Je ne sais pas par quelle couleur je suis passé, mais Ange s'est approché de moi

« Ça va, Leroux ? »

« Je ne sais pas, c'est mon ex, elle me demande de la rappeler, c'est bizarre ça fait au moins 3 ans que l'on ne se parle plus ou très peu… Genre, les urgences. »

« Si c'était grave, elle aurait laissé un message plus explicite et ça n'aurait pas attendu ce soir. »

« Oui, tu as sans doute raison. »

« On y va, tu m'accompagnes ? »

Comme réponse, Ange dépose la tasse dans l'évier, jette un regard à la dérobée dans ma cuisine et se dirige vers la sortie.

« Chef, bonjour ».

Le grommellement qui sortait de sa bouche en disait long sur l'humeur du jour, j'ai rarement connu des personnes autant lunatiques que l'était le commandant de police du commissariat de Lorient.

Joël Le Du, il portait bien son nom, en breton le « du » est la couleur noire, et sa face cachée était bien sombre, j'ai su entre deux bruits de couloir qu'il avait perdu sa fille ainée dans un accident de voiture. Ceci expliquait peut-être cela...

« Chef, j'ai du nouveau sur le cadavre de Kernével, il se trouve que mon impression était la bonne et qu'il s'agit de cette femme disparue à Lomener »

« Une impression Leroux, vous vous foutez de ma gueule ? Pourquoi pas une consultation de tarots divinatoire ? »

« Non chef, l'impression c'était le début, nous avons bien les preuves et les éléments qui confirment mes dires »

« Et ? »

« Je voudrais donc mener une perquisition chez son propriétaire... Il n'est pas net ! »

« Parce que vous croyez qu'il suffit de ne pas être net comme vous dites pour soupçonner quelqu'un je n'ai pas envie que la DDSP me tombe dessus. Non, c'est trop léger, continuez à fouiller et revenez me voir lorsque vous aurez des éléments tangibles ».

« Très bien Chef, » dépité j'ai tourné les talons, caractère de m...

Il m'avait tellement pris la tête que j'en avais presque oublié qu'il fallait rappeler mon ex-femme ce soir.

Que me voulait-elle ?

La dernière fois que l'on s'était vu, c'était au tribunal, elle était flanquée d'un avocat véreux qui me toisait du regard, celui-ci portait une robe noire élimée aux manches, et ce n'était pas un effet !

Les chaussures aussi funèbres que le personnage avaient depuis longtemps résisté aux assauts du temps, même si en voyant la large déchirure on sentait la fin du voyage.

Des cheveux parce qu'il n'y a pas d'autres noms pour les qualifier, de la filasse grasse comme on peut en trouver autour d'un boulon, ou l'étoupe d'une coque.

Devant la juge, sa voix de fausset me vrillait les tympans, et il enchaînait les griefs, les uns après les autres, un chapelet de mensonges, je me suis senti dans la peau de Michel Delpech avec sa chanson « les divorcés ».

« Les enfants pourront voir leur père une fois par mois et pendant les vacances en alternance avec Madame, votre métier vous laisse peu de temps pour vous occuper d'eux et ils seront bien mieux chez leur mère, et une dernière chose, monsieur… Vos coucheries ne regardent que vous, mais trouvez-vous normal d'encombrer ainsi les tribunaux ? »

Je n'ai pas, depuis trois ans, oublié cette scène, chaque mot est imprimé dans ma chair, comme marqué au fer rouge.

Avoir ce message ce matin remue trop de souvenirs encore bien vivants…

« Gabriel, » me dis-je, « faut arrêter là. »

D'un pas décidé, je rentrais à l'appartement pour prendre la voiture trop souvent stationnée en bas de l'immeuble pour partir en direction de Keryado.

Il était temps que je fasse un plein de courses et que j'achète quelques bibelots afin de rendre mon univers un peu moins austère.

Arrivé sur place, j'ai failli faire demi-tour, une longue file de clients occupait la moitié du parking, des ganivelles pour les maintenir dans le rang. C'est étrange, j'ai l'impression de vivre une drôle de vie, tout se passe normalement et en voyant le monde extérieur subitement je me rappelle ce scénario d'une catastrophe annoncée.

Un grand malabar me demande de lui tendre les mains, et y dépose une noisette de gel… Désinfecté, aseptisé, je peux enfin rentrer dans l'antre de la consommation.

Slaloms entre les rayons, je commence ma course effrénée, une pelle, un balai, un rideau de douche, un tabouret, des conserves encore et toujours, arrêt obligé à la caisse et me voilà enfin reparti.

Une fois mon marché du jour rangé, je m'accorde enfin une pause, le café réchauffé de la veille et le disque dur en mouvement… À quelle heure vais-je la contacter, il n'est que 19 heures, si rien n'a changé elle finit à 20 h après les transmissions pour la nuit à ses collègues.

Tic, Tac. La pendule de la cuisine… Les secondes s'écoulent d'une telle lenteur qu'elles n'arrivent pas à se transformer en minutes…

La mouette rieuse se remet à crier, je me précipite sur le portable…

« Gabriel ? » Cette voix douce et lasse me replonge immédiatement dans un passé déjà loin.

« Est-ce que je peux te parler ? »

La gorge nouée, je répondis dans un râle.

« Je t'écoute ».

C'est un flot inhabituel de paroles chez elle, un débit de mots hachés, entrecoupés, des sanglots, des spasmes… Elle est presque en apnée, je ne sais même pas si j'écoute ce qu'elle me dit ou si je me laisse porter par le son de sa voix…

« Il faut que tu viennes les chercher »

« Pardon ? »

« C'est un motif familial impérieux »

Cette dernière phrase me tétanise…

« Répète-moi ça ?

Tu souhaites que je vienne à Lyon chercher les enfants parce que là-bas vous étouffez, que tu vas être confinée demain avec les résidents de la maison de retraite, tu veux éviter de les laisser seuls...? »

Je n'ai pas hésité une seconde, j'ai essayé de la consoler maladroitement, et j'ai conclu sans avoir réfléchi.

« Je prends la route demain, tiens bon ! »

Heureusement que j'avais aménagé deux chambres d'amis, tout se bousculait, comment allaient réagir les enfants, ce sont des ados, j'avais arrêté progressivement de les prendre après le jugement, je ne pouvais plus aller les chercher tellement que de voir leur mère, ça me rendait dingue.

« Allo, Ange, »

« Oui salut »

« Bon, ça urge un peu pour moi, j'ai eu mon ex-femme au téléphone, je t'avais dit qu'elle travaillait dans une maison de retraite ? »

« Oui, comme la mienne dans la santé »

« Il se trouve que 15 des résidents sont déclarés COVID, on les confine dans leur appartement, le personnel veut rester avec eux »

« On peut comprendre ».

« Mon ex souhaite que j'aille chercher les enfants pendant cette période, je vais contacter Le Du demain, tu peux avancer sur le dossier ? Routine, habitude, fréquentation ? Voisinage, je sais que c'est compliqué, faut prendre des rendez-vous ou communiquer par téléphone. »

« Ça va, je ne suis pas un bleu, avancer ton dossier ? Je pourrais ptêt finir avant que tu ne reviennes. » dit-il dans un grand éclat de rire.

« Reste plus qu'à souhaiter que chef Le Du accepte. »

« Il est casse-couille, mais il peut comprendre »

« OK merci ».

Cette nuit va être encore très perturbée, il faut que je me repose, demain la route va être longue.

Je m'étais préparé mentalement à ce périple pendant ces quelques périodes de réveil nocturne, et pour cette raison au saut du lit, j'ai chopé le téléphone.

« Commandant, bonjour, c'est Gabriel Le Roux »

« Encore ? Tu veux quoi ? »

« J'ai une urgence, je n'ai pas trop le temps d'expliquer, il faut que je parte à Lyon pour motif familial très important »

Un silence qui me parut une éternité.

« Désolé Leroux, vous avez perdu quelqu'un ? »

« Non, non chef, heureusement, je dois juste aller chercher mes enfants, ma femme est tenue de se confiner sur son lieu de travail »

« Ça marche pas, y a pas d'autorisation pour ça. »

« J'y ai pensé chef, mais je n'ai pas le choix, pouvez-vous me fournir un ordre de mission ? Pour les besoins de l'enquête ! »

« Bon OK pour cette fois, mais n'imaginez pas que je suis le père Noël… Ça ne se reproduira plus.

Je vous envoie ça par mail, et on peut faire la demande sur Smartphone depuis hier. »

« Merci chef, à charge de revanche »

Le Du avait-il un cœur ?

En mode à l'arraché : J'ai rempli un sac avec les fringues qui trainaient sur le canapé, un paquet de chips et direction la voiture.

Après 900 km environ, Nantes, Poitiers, Clermont-Ferrand, je ne suis toujours pas arrivé… Je m'arrête à la station histoire de remplir le réservoir, les pompes sont désertes et le prix de l'essence qui s'affiche sur le compteur me stupéfait 1 euro 03…

Presque 1 mois que je n'avais pas été à la pompe… Normal. Confiné et circulation quasi nulle, ce n'est pas comme si j'avais roulé, mais quand même lorsque j'y pense, je trouvais ça un peu dégueu. Alors que toute l'activité économique était au point mort, le gasoil n'avait jamais été aussi peu cher. L'offre et la demande ?

Je m'interdis de penser à ce que va être l'accueil de la part de mes enfants, il sera assez temps de l'encaisser le moment venu.

C'est donc tout naturellement que mon esprit a commencé à naviguer vers l'affaire que j'avais plantée.

Ange m'a dit que dès le signalement de la disparition, une équipe avait essayé d'interroger les habitants sur Marie, sans portrait c'était difficile, mais les langues s'étaient un peu déliées. En fait sur une population d'environ 3000 personnes réparties en 3 quartiers : Lomener, Kerroch et Kerpape, tout le monde se connaissait.

Après une première hésitation, la mémoire collective se reconstituait.

« Ah oui, celle qui bosse de temps en temps au Moulin ? Mais elle se drogue non ? Elle est souvent avec un grand brun, non elle ne parle pas beaucoup, mais elle est gentille. »

« Elle traine souvent à l'anse du Stole, c'est là qu'elle se baigne, enfin se baigner est un grand mot, elle trempe les pieds car elle craint l'eau. Parfois, on l'a vu aussi avec Gervais. »

J'avais demandé à Ange qui était ce Gervais, malheureusement, chacun avait dû rentrer précipitamment et l'interrogatoire avait dû s'interrompre.

J'ai dit à Ange, « Le grand brun, c'est Alvarez ». « Il était tellement fuyant lorsque nous sommes allés à l'appartement, qu'il fait sûrement autre chose que de lui louer. »

« D'ailleurs, il ne lui faisait même pas de quittance. Et franchement, on ne peut pas le confondre avec l'abbé Pierre. »

« Tu veux dire quoi, Leroux ? Que c'est un proxénète ? »

« Le dire oui ! Mais je le pense aussi ».

Mon collègue avait éclaté de rire, Gabriel Leroux, belle recrue…

Déjà des heures que je roule, les autoroutes sont vides, seuls quelques camions sillonnent le bitume.

Je pousse le volume de la radio, les paupières s'alourdissent, il faut que je m'arrête. Le bandeau Total me fait un appel du pied, pas besoin d'aller loin pour chercher une place… C'est le désert.

Gel hydro alcoolique, masque, pipi mettez-vous dans le rond marqué au sol… J'hallucine, je suis le seul client… On me protège sûrement contre moi-même. En temps ordinaire j'aurais ironisé, mais l'heure était assez grave pour m'abstenir d'un humour qui j'avoue aurait été mal placé.

« Bonjour ».

« Bonjour » me répond l'employé bardé d'une blouse recouverte de plastique transparent.

« Vous n'auriez pas autre chose que des sandwichs ? »

« Non ».

« Même pas une salade ? »

« C'est compliqué, par ces temps. Ça se périme trop vite ».

« Et ? »

« En fait, on ne voit plus grand monde »

« Oui, c'est vrai ».

« Faut que j'y aille, j'ai encore beaucoup de route »

« Vous allez où ? »
« À Lyon, je vais récupérer mes enfants ».
« Vous avez eu le droit ? »
« Dans le cadre de mon travail, oui »
« Faites attention à vous alors »
« Oui merci, vous aussi ».

De retour dans mon véhicule, j'avale le sandwich que j'ai pu acheter, lorsque je dis sandwich c'était avant de le goûter : Du carton-pâte, un bout de jambon tirant plus sur le vert que le rose, pas bon…

Sympa quand même le type…

Sur France Kulture, une nouvelle émission attire mon attention « Confinement votre », sur le modèle des émissions de télé qui fleurissent sur le PAF… #restezchezvous.

Cette fois, c'est un rappeur qui du fond de « son chez lui » se fait la réflexion que cette pandémie est une des rares choses que l'on partage en commun. Il n'aurait pas abusé de l'omelette aux champignons lui ?

Ça ne s'invente pas, ce rappeur se nomme « virus »… Lorsque la réalité dépasse la fiction…

La nuit commence à ouvrir son sombre manteau sur ma route, la voix féminine que j'avais choisie pour animer mon GPS me sort brutalement de ma torpeur :

« Prendre à droite et rejoindre la A89 sur la Transeuropéenne, et continuer sur 84 kilomètres. »

Mon périple allait enfin tirer à sa fin…

À peine un mois que j'avais quitté cette ville et me voilà déjà de retour, et cette fois j'ai passé ces derniers kilomètres à imaginer divers scénarios de retrouvailles.

« Elisa, bonsoir, je suis arrivé en bas de chez toi. » Le SMS s'envole…

Quartier Saint-Georges, près du marché Saint-Antoine, la nostalgie monte en moi, nos fous rires, nos courses effrénées sur la passerelle le long de la Saône.

Mouette. Message. Réponse.

« C'est toujours le même code, monte ».

D'un pas mal assuré, je montais l'escalier : « l'échafaud ».

Je l'avais baptisé comme cela dans mon ancienne vie, le jour où je l'ai grimpé quatre à quatre pour embrasser ma femme.

Lorsque je l'ai redescendu, la mort dans l'âme, j'ai compris qu'elle avait pris connaissance de mes frasques de la veille.

C'était une soirée entre collègues, une bière, une autre, et de verre en bouteilles on s'était achevés dans un boui-boui ou une rousse flamboyante qui à force de persévérance (Je ne suis pas un gars facile) m'entraina vers la sortie.

C'était déjà l'aurore…

Sous le porche, elle écrasa ses lèvres gonflées à l'acide hyaluronique contre les miennes, une marmelade collante aspirait ma bouche, et déjà, je sentais son corps frotter le mien, j'avais envie de fuir comme un dératé, mais mes jambes ne me portaient plus, j'avais envie de gerber… Dans quel pétrin je m'étais mis.

« Je t'aime mon grand fou ».

On a fait quelques pas, c'est-à-dire qu'elle me tenait pour éviter que je m'écroule.

J'ai entendu une voix qui demandait si on avait besoin d'aide et lorsque j'ai vu Alice, la meilleure amie d'Elisa. J'ai vite compris que le futur proche allait être très compliqué.

22 h LYON.

« 4924A ». Je pensais que mon cerveau avait effacé ce code, comme je pensais qu'il avait oublié tout le reste, mais non… La capacité du cerveau est telle…

La poignée n'a offert aucune résistance et je me retrouvais dans le couloir.

« Les enfants sont couchés, il sera temps de les voir demain, et je souhaite qu'ils se reposent car la route va être longue pour eux ». La voix de mon ex-femme était lasse.

— Je t'ai préparé le lit dans la chambre d'amis, les valises sont prêtes, tu peux partir à la première heure demain

— Si tu as faim, j'ai laissé une assiette de crudités sur la table de la cuisine

— Je veux que tu me contactes régulièrement afin de me donner des nouvelles.

C'était comme au téléphone, l'appel du début de semaine, elle parlait sans écouter, sans attendre de réponse, un monologue.

« Oui ».

Et là, elle s'est arrêtée de parler. Elle m'a regardé fixement, essayant de sonder dans le plus profond de mon être ce que je ressentais.

« Que pensent les enfants à l'idée de venir avec moi ? »

« Je ne sais pas »

« Tu leur as pas demandé leur avis ? »

« Non »

« Combien de temps restes-tu confinée ? »

« Je sais pas !... »

« Juste une approximation ? »

« C'est compliqué, 14 cas de COVID chez les résidents, autant chez le personnel ».

Instinctivement, je me reculai…

« Je me suis fait tester, tu n'as pas d'inquiétude à avoir ».

Son souffle est court, la voix voilée.

« Les enfants ? »

« Aussi testés. Ça va non, je te parlais de mes anciens… Je n'en peux plus », continue-t-elle.

— J'ai pas le droit de les lâcher, ils sont perdus là et ne comprennent rien…

Oui je vais m'en sortir, ne t'inquiète pas.

— Il y a encore deux mois, dans la grande salle, on se parlait, on mangeait ensemble, on fredonnait des rengaines,

— On se racontait les enfants qui étaient venus leur rendre visite, un nouveau livre. Cousue de fil blanc cette existence et parfois, si décousue lorsque le cerveau déraille au terminus…

— C'est ainsi que je les aime mes patients.

J'aurais pu aussi commencer ainsi le début de mon histoire : Il était une fois une province chinoise qui… et de maux en mots atteindre celui de la fin. J'aurais pu refermer l'album et tout oublier…

— J'aurais pu oui. Mais la vie n'a pas voulu.

Puis après un long silence, et une nouvelle respiration et elle a repris :

— Le grand-père dans le salon a dit : C'est pire que « La guerre ».

— Tu sais Gabriel, je n'ai pas connu la guerre alors je ne comprends pas…

Je la sens tellement désemparée que je lui dis de continuer…

— Le grand-père, d'habitude, il s'arrête dans sa discussion et son esprit s'envole, mais là il a dit :

« La guerre tu sais, tu l'entends, tu la vois, tu attends la mort à chaque recoin, mais là tu sais pas. »

« Ça frappe là où ça décide, un enfant, un médecin, un notable ou un sans-abri, tel un jugement dernier, ni coupable, ni innocent, juste pour être passé dans son sillage meurtrier. »

— Alors Gabriel, tu vois pour les sauver on les a enfermés nos vieux, dans leurs chambres, esseulés, sans famille... L'assiette est restée pleine sur le plateau, le sourire se fige, et peu à peu la vie s'en va. Covid. Ce n'est pas un joli nom COVID, moi je préfère Ignace... »

« Pourquoi Ignace ? »

Parce que le grand-père me l'a dit : Ignace c'est un joli prénom charmant... Pas COVID.

Je crois qu'à ce moment j'ai vraiment compris ce qu'il se passait, surtout dans ces milieux, je n'osais pas l'approcher, peur qu'on puisse penser que je profite de son désarroi.

« Tu seras partie demain à mon réveil ? »

« Non, j'ai prévenu que j'arriverai en début d'après-midi ».

Après cette discussion, je n'ai même pas pu avaler une bouchée, je lui ai dit bonsoir et je me suis engouffré dans la chambre.

Le sommeil était difficile à trouver, je comprenais mieux ce que vivait Elisa, finalement je ne sais pas vers quelle heure je me suis endormi, mais le réveil a été très laborieux...

Presque timidement, je suis entré dans la cuisine où flottait une bonne odeur de café.

« Bonjour ».

Deux jolis sourires pour un petit déjeuner, c'était inattendu, inespéré, au bout de 5 années parsemées de temps mort.

« Bonjour, les enfants ».

Je me suis senti bête de les appeler ainsi...

« Nous allons passer un peu de temps ensemble, je suis ravi de vous accueillir »

« Tu sais papa, on a du boulot par pro-note »

« C'est quoi ? »

« Nos devoirs sont à faire sur une plate-forme et nous correspondons avec nos profs »

« Ah bon ? »

« Oui, et par Skype aussi » a rajouté ma fille.

La douche froide… En deux fois, je me fais appeler papa ! Quelle surprise !

Et de voir comme ils ont grandi, comme ils sont beaux…

Finalement bien que cela me paraisse compliqué au premier abord, je pense que c'est une chance pour moi de renouer le contact. J'en avais abandonné l'idée quelques années auparavant.

Peut-être par dépit, ou tout simplement pour me protéger.

« Vos affaires sont prêtes ? »

« Oui depuis hier déjà »

« Elisa, prends soin de toi, pour nous ça va aller sois tranquille ».

Pas d'effusion, juste un merci et me voilà dans la voiture avec mes deux jeunes gens…

Par le rétro, je ne peux m'empêcher de regarder la silhouette de mon ex-femme s'éloigner.

Quel courage !

La blondeur des longs cheveux d'Océane est d'un contraste étonnant avec ceux de Malo, bruns, le regard de braise. Ils sont devenus des ados, presque des adultes, comme tous ceux de leur âge me direz-vous, mais ce n'est pas pareil lorsqu'il s'agit de nos enfants.

Le casque qu'ils ont mis sur leur tête me signifie que la conversation va être limitée.

Je ne vais pas les brusquer, nous allons avoir le temps de nous redécouvrir, du moins je l'espère.

Le pied sur le champignon, j'avale les kilomètres qui nous séparent de Lorient.

Pour ne pas m'endormir à cause de la monotonie du parcours, j'essaie d'échafauder un programme pour le séjour des enfants, pour finalement me heurter à toutes les restrictions provoquées par la situation sanitaire.

Pourtant, aller à la mer, rendre visite à mes parents…

D'ailleurs en parlant de mes parents je n'ai pas eu de nouvelles récemment, il faut à tout prix que je les rappelle.

Mes parents ont vieilli, mais gardent leur autonomie, ils n'ont pas trop souffert de notre séparation. Nous ne sommes plus revenus en Bretagne pendant toutes ces années. Je pense même que mon divorce, c'est une décision qui ne leur a pas déplu.

On s'est téléphoné pendant des années, et pour leur rôle de grands-parents, ils se sont rattrapés sur les enfants de ma sœur Inès.

Le fait de me voir revenir les rassure sans doute.

« Papa, on peut s'arrêter, j'ai besoin d'aller aux toilettes.

« Oui, je cherche une aire »

« On va aussi s'arrêter grignoter quelque chose ».

Une voiture surmontée d'un gyrophare derrière moi roule à vive allure, il me double et subitement se rabat en me faisant signe de prendre la bretelle…

Je peste tout seul… On va perdre du temps.

« Monsieur, bonjour ».

« Bonjour ».

« Veuillez rester dans votre véhicule et me montrer à travers la vitre la carte grise du véhicule ainsi que vos papiers »

« Vous avez une attestation ? »

« Oui, deux même »

« J'ai pas envie de faire de l'humour ».

L'air pincé, le flic qui se tient raide comme un piquet, risque de m'occuper un moment, alors je coupe court et lui dis :

« Je suis de la maison, j'instruis une piste criminelle et je devais aller à Lyon pour vérifier celle-ci, et en même temps j'ai dû récupérer mes enfants, car leur mère travaille dans le médico-social et subit une réquisition ».

« J'ai donc deux attestations… »

Je lui ai donné ma carte tricolore et du coup ça l'a calmé. Les jeunes, derrière n'avaient pas bougé, la peur du képi sûrement.

Après cet épisode, on a donc pris de quoi manger, et c'est sur la pelouse de la station-service que nous avons fait notre premier pique-nique…

Le casque est tombé, j'essayais maladroitement d'engager la conversation afin d'occuper les dernières heures de route.

Océane se destine au commerce, le bac devrait être acquis pour elle, le ministre de l'Éducation fait des annonces pour rassurer la jeunesse… Va -t-on faire comme en 1968 ? Elle me dit qu'elle ne le souhaite pas, que ce serait un bac sans valeur, et qu'elle avait travaillé d'arrache-pied pour l'obtenir.

Malo, lui s'en fout, la seule chose qui le gêne c'est de ne pas pouvoir faire de basket. La compétition s'est stoppée alors qu'ils étaient en haut du tableau et qu'ils visaient la montée.

« Tu joues dans quel club ? »

« ASVEL... »

« Ah oui tout de même ».

Au fur et à mesure de l'avancée du trajet, j'en apprenais un peu plus sur eux, leurs goûts, leurs amis, les écoles et clubs fréquentés.

J'avais moi aussi fait du basket, je jouais au CEP, un club qui avait fait sa renommée dans les années 1980.

J'avais atteint à cette époque ma taille adulte à 14 ans, mais ça je l'ai su bien après, et ma grandeur pour cet âge-là, m'avait permis de jouer avec les grands Américains qui faisaient la gloire du club. O'Brien, notamment avec qui j'ai joué en N3.

« Tu as joué en Nationale 3 papa ? »

« Oui ».

« Et tu as été partout ? »

« Oui. Tous mes week-ends, dans les minibus, et sur les parquets… C'était génial. »

J'ai senti un regain d'intérêt dans la voix de mon fils, comme si le fait de partager le même sport retissait un lien.

« Et Bako ? tu le vois ? »

« Oui ». Malo a marqué un temps d'arrêt.

« Tu connais ? »

« Il m'arrive de suivre encore les championnats, et puis j'ai été supporter du club de Lyon ».

Oui, je venais enfin de trouver une porte d'entrée pour communiquer avec mon fils.

« Si on n'était pas en confinement, je t'aurais envoyé voir un match au Cep »

« Si on n'était pas en confinement, je serais pas avec toi ! »

Putain, là ça fait mal… Uppercut, je me suis peut-être vite emballé…

Le panneau Morbihan, nous y voilà… Nous n'avons jamais été aussi près du but.

Je n'ai pas pu longer la mer pour rentrer, il fait déjà nuit.

« Allez, c'est bon on est arrivé »

« On prend nos affaires maintenant ? » me dit Océane

« Oui, oui »

« Demain je reprends le boulot et je n'aurai pas trop le temps d'être avec vous »

« Tu as une bonne connexion Internet ? »

« Oui, le haut débit, tu sais faire à manger ? »

« Ben, en fait je t'ai pas attendu ».

Deuxième uppercut de la journée… C'est boxeur que j'aurais dû être, afin de savoir encaisser les coups, et ceux-là étaient assez bas.

« Elisa, c'est Gabriel, nous sommes arrivés ».

« Laissez votre message après le bip sonore », me répond sa boite vocale.

« Elisa, nous venons d'arriver, le voyage s'est bien passé ».

Non, pas de repos pour installer mes deux jeunes, mais ce matin branle-bas de combat… Les enfants dorment encore et je m'apprête à rejoindre Ange pour reprendre mon dossier.

Je laisse un mot sur la table, faites comme chez vous ! Je reviens manger à midi.

Je griffonne également mon numéro de portable, on ne sait jamais.

Mon géant blond m'accueille sur le perron, toujours la banane ce type !

« Du neuf ? »

« Oui, le chef est furieux ».

« Ah bon, pourquoi ? »

« Ta voisine a appelé pour te dénoncer, il paraît que tu ne respectes pas le confinement, et elle craint pour sa santé »

« Tu plaisantes ou quoi ? »

À peine j'ai fini de répondre que j'ai compris… victime d'un hameçonnage du poisson d'avril, cette journée démarrait donc par un gros éclat de rire.

« Alors, tes enfants ? »

« Ça va, un peu frileux, normal pour des retrouvailles dans ce genre de circonstance. »

« Et la route ? »

« Week-end chargé, mais très peu de circulation. Bref, j'ai bouffé de l'asphalte… »

« Ta femme ? »

« Démolie, traumatisée. »

« La mienne à l'hosto c'est pareil ».

« On a du nouveau ? »

« Rien de plus depuis que je t'ai briefé ».

« Bon, on y retourne »

« Où ? »

« Dans ton c… » C'est pour le poisson d'avril de tout à l'heure, on va à Lomener.

L'air est frais aujourd'hui, et c'est une petite brise maritime qui nous accueille.

« Tu as l'air de connaître le coin, » me dit Ange en me suivant sur le chemin

« J'y ai passé une partie de mon enfance »

« Tu n'as retrouvé personne que tu connaissais, ça pourrait aider »

« Je venais l'été et tu sais pendant la saison, la population est multipliée par 500 ».

« Et là, on va voir qui ? »

« Les voisins. On va peut-être en savoir un peu plus sur cette mystérieuse Marie, sans famille ».

Dans l'immeuble cossu qu'habitait Marie vivaient deux autres personnes.

La plaque qui est fixée sur la porte comporte un nom suivi d'un prénom calligraphié : Lecat Emile.

Le heurtoir majestueux retombe sur la lourde porte, le bruit de la chaînette et une petite tête qui demande :

« C'est pourquoi ? »

« Bonjour, Madame c'est la police, nous voudrions voir Mr Lecat, nous avons quelques questions à lui poser ».

La porte s'est refermée et une voix aiguë a crié

« Monsieur, monsieur. C'est la police pour vous ».

Le ton est monté, et la voix a repris

« Monsieur, c'est la police ».

J'ai regardé Ange en riant, « et sourd comme un pot par-dessus le marché… Notre jour ! »

Une odeur de rance, et un soupçon de renfermé… L'ancien est assis sur son fauteuil, un plaid sur les épaules et des charentaises aux pieds.

Un visage lisse et un nez à faire pâlir Cyrano, une moue boudeuse et des petits yeux noirs qui s'agitent tout le temps, le tout rehaussé d'une belle chevelure argentée.

« Vous êtes l'auxiliaire de vie ? » demandai-je à la femme.

« Oui, je m'appelle Rosalia, et cela fait environ 10 ans que je travaille pour Monsieur »

« Vous pouvez nous laisser ? »

« Oui, excusez-moi, de toute façon j'ai du travail », dit-elle avec un fort accent.

« Mr Lecat, connaissez-vous Mr Alvarez ? »

« Oui, c'est le propriétaire de l'appartement de Marie, ma voisine »

« Vous le connaissez depuis longtemps » ?

« Oui, il a racheté l'appartement lorsque Mme Le Louarn a rejoint l'hospice, ça fait environ une dizaine d'années, d'ailleurs elle y est toujours ! Elle a la dent dure, comme tous les enfants des sardinières.

Sa mère en était, "La sardinière", une syndicaliste même, et elle travaillait à la chapelle de Lomener, auparavant c'était la conserverie qui occupait le bâtiment. »

« Monsieur Lecat, merci de répondre de manière succincte à nos questions, non pas que cela ne nous intéresse pas mais, nous sommes dans le cadre d'une enquête concernant votre voisine : Marie Nogués ».

« Marie, oui on m'a dit qu'elle a disparu, et pourtant, gentille comme tout :

Belle femme, » rajouta-t-il avec un semblant d'activité qui ressembla à un sourire.

« Elle venait pratiquement tous les jours me saluer, me demander si j'avais besoin de quelque chose. »

« Et des fois, elle venait avec Gervais, mais je l'ai pas vu ici avec Alvarez »

« Gervais ? »

« J'ai déjà entendu ce nom », me dit Ange.

« C'est qui ce Gervais, Mr Lecat ? »

« Ici, on l'appelle l'idiot… Il habite deux pas plus loin, mais il n'est pas idiot, il a la danse de saint Guy. On raconte que lorsqu'il était petit, il était à côté d'un arbre et que la foudre lui est tombée dessus. On ne lui connaît pas de famille, il aurait dans les 25 ou 27 ans, mais on ne peut pas lui donner un âge, son visage est si particulier ».

« Marie était gentille avec lui, elle l'invitait même à manger parfois, on avait peur que ça lui tourne la tête au Gervais »

« Donc vous n'avez jamais vu Alvarez en compagnie de Marie Nogués »

« Non… Mais je l'entendais crier avec sa grosse voix ».

« Vous savez pourquoi il lui criait dessus? »

« Je n'écoute pas aux portes, mais c'était tellement fort, il réclamait l'argent du loyer ».

« C'est arrivé souvent ? »

« Moi j'ai entendu au moins deux ou trois fois, mais je le savais car lorsqu'elle venait, ses yeux étaient rougis, et elle était, comment vous dire, "toute dépenaillée" comme si elle avait été brusquée. »

« Dernière chose, Monsieur Lecat, vous vous entendez bien avec votre "Simone Latouche ? »

« Oh oui, et depuis le confinement, c'est elle qui fait les courses, comme ça Rosalia peut faire le ménage pendant ce temps, et parfois, elle me fait la lecture, elle a été institutrice, c'est un ange, une sainte même je dirais ».

« Merci de nous avoir accordé de votre temps Monsieur ».

« Mon temps… Il ne passe pas, c'est long une journée dans ce fauteuil, cloué… Alors vous savez le temps… »

Je m'approchais pour lui serrer la main… J'avais encore oublié, les gestes barrière.

« Qu'en penses-tu Ange ? »

« Alvarez… Il a fait le coup, non ? »

« Je sais pas encore, mais en tous cas, mouillé ».

« Pas de trace de violence sur le corps de la victime pourtant ».

« Et la mer efface sur le sable… Elle efface aussi sur le corps ! »

« Tu dois rentrer maintenant ou on continue avec l'autre voisine ? »

« Je vais rentrer, il faut que je sois un peu présent avec mes deux visiteurs »

« OK, je te dépose ».

Notre affaire ne connaissait pas de gros rebondissements et j'avais la certitude de ne pas encore être arrivé à la conclusion.

« T'as vu le bouchon là ? »

« C'est l'entrée de MC-RO ».

« Ils ont ouvert ? »

« Ces putains de chaînes américaines sont puissantes… Et les amateurs, en manque… » « Ils ont même ouvert Amanonne, mais les syndicats ont dit non, pas assez de sécurité, et du coup ils ont dû refermer. Par contre le petit resto du coin… »

« De temps en temps, ça sert un syndicat ». J'ai conclu : « Sauf ceux de la police »…

« Au fait, chef Le Du nous a demandé de rester au moins un jour par semaine à la maison pour les dossiers, tu veux prendre ton vendredi ? »

« Oui, je veux bien, on va pouvoir aller au bassin à flots et faire prendre l'air à la jeunesse ».

En entrant dans le hall, je suis assez étonné, pas de bruits....

Assise sur le canapé, Océane un crayon à la main dessine, une main sûre qui saisit les contours de son modèle.

« Ah bonjour papa, déjà là, la matinée a filé… »

« Oui, votre matinée a peut-être commencé tard » dis-je en riant, « lorsque je suis parti ! J'ai pas vu grand monde ».

« Je dois manger rapidement, je reprends à 14 heures, par contre, vendredi, je suis à la maison. Je finirai mon compte-rendu et on va pouvoir aller un peu sur le quai, c'est le périmètre. »

« J'ai jamais vu la mer… »

J'ai été stoppé net dans mon élan.

« Tu n'as jamais vu la mer ? »

« Ben non, avec maman et toi on a jamais bougé de Lyon à cause du boulot, et depuis que vous êtes séparés, non plus ».

Je me suis senti bien misérable à cet instant.

« Et Malo ? »

« Lui non plus ! »

« Je te demandais juste où il est ».

« Dans sa chambre, il est geek ».

« Geek » c'est quoi ? »

« Il passe son temps sur les ordis ».

« Tu veux manger ? »

« Non merci, j'ai déjeuné il n'y a pas longtemps ».

Elle est partie dans sa chambre et m'a laissé là, planté ! Son bloc de dessin est resté sur la table et je me suis surpris à l'ouvrir. Des croquis, des articles de journaux, et pour finir, des catalogues de mode, tout un attirail qui lui permettait de créer.

Ma fille dessinait, et bien d'ailleurs… Décidément en cinq ans, j'en avais loupé des choses.

Ça m'a trotté longtemps dans la tête, je ne savais rien d'elle ? Est-ce qu'elle dessinait depuis le début de sa toute sa petite vie ?

La poêle s'est renversée et mon œuf s'est écrasé sur le carrelage de la cuisine, un œuf au plat sans plat mais aplati…

La mouette crie encore, c'est peut-être Elisa…

« Monsieur Leroux ? C'est Alvarez ».

« Oui, j'écoute ? »

« Au port du Kernével, ils ont trouvé un cadavre de femme fin février, le 29 ! »

« Comment êtes-vous au courant ? »

« C'est Dédé qui en a parlé à son voisin, et son voisin c'est aussi un de mes locataires ».

« Dédé ? »

« Le capitaine Mérou, un ancien de la marine »

J'avais déjà oublié son petit nom… C'est vrai que notre rencontre avait été brève, il avait tellement peur qu'on l'accuse du meurtre de Marie, et ses explications embrouillées ne plaidaient pas en la faveur de l'innocence.

« Et votre question Alvarez ? »

« Je voudrais savoir si c'est ma locataire ? L'autre fois, vous m'aviez dit qu'elle n'était peut-être pas morte, que portée disparue, mais c'est une drôle de coïncidence. ?

« Je ne trouve pas ça drôle moi ».

« Moi non plus, je parlais de la coïncidence. »

« Et qu'est-ce qui vous rend si inquiet Alvarez ? »

« C'est que j'ai quelqu'un pour relouer l'appart ».

« Vous comprenez, les affaires, c'est dur ».

« Ben, oui j'apprends que vous avez encore un appartement au Kernével ? Vous en avez beaucoup encore ? Vous savez combien ça touche un brigadier ? "NON" ?

Alors, allez pleurer ailleurs. »

« Alvarez, dites-moi encore : Vous connaissez Gervais ? »

« Ben oui, qui ne le connaît pas… »

« Quelles étaient ses relations avec votre locataire ? »

« Je ne sais pas, c'est un pauvre type, elle lui rendait sûrement service, genre les papiers.

Je me méfie de lui, vous savez, les drôles… On ne sait jamais de quoi ils sont capables. »

« Il a une famille ? »

« Oui, il paraît qu'il a encore sa mère, mais on ne la connaît pas, en même temps à sa place je ne me vanterais pas d'avoir un infirme ».

« Il est pas infirme ! »

Imbuvable ce type ! Et sûrement facho sur les bords. Déjà, je n'avais pas aimé sa réflexion sur les enfants de la DDASS, mais traiter ainsi les personnes en situation de handicap c'était trop pour moi.

« C'est pareil, de la tête ! »

Lorsque j'ai ouvert le *Télé-gamme*, le journal local, j'ai failli avaler de travers mon crouton de pain, la fuite était de sortie. Le titre racoleur qu'affectionnent tant les lignes éditoriales m'a sauté à la figure.

« La noyée de Zanflamme »… Manquait plus qu'un petit air d'accordéon et j'aurais chanté Tiersen…

L'article était illustré par une photo du port de Kernével et de sa balise. Le conditionnel employé dans sa rédaction prouvait bien que ça manquait d'éléments tangibles, mais le tour de passe-passe était réussi. L'auteur étayait une thèse complotiste.

« Le cadavre, après avoir passé quelques jours dans l'eau, a donné quelques difficultés à l'équipe chargée de procéder à l'identification… Et… Bla et… Bla Bla… Pourrait s'agir d'une femme, habitant à Lomener, dont on a perdu la trace…

Crime passionnel ou chute accidentelle… Voire suicide, d'après nos informations tout reste possible ».

Manque plus que ! « Les jeux sont ouverts… »

Pourtant, la presse locale est utile, surtout par ces temps de crise ou personne ne peut sortir, l'information reste le seul lien… Mais des fois, vouloir faire du sensationnel sans savoir, ça me hérisse.

L'après-midi est vite passé, j'ai fait l'inventaire des objets appartenant à Marie Nogués, reliquats d'une pauvre vie… Pas grand-chose. Mais, soudain, dans un carton d'archives coincé entre deux relevés bancaires, un cahier rouge, recouvert de velours.

Des pages entières noircies par une écriture enfantine, des pleins et des déliés, son journal j'ai pensé ! Je me suis alors promis chaque soir de lire ses écrits en espérant en apprendre plus sur elle.

Je suis passé voir Ange dans son bureau, on reprendra les interrogatoires jeudi.

Soulagé d'avoir fini cette journée, je m'arrêtai prendre deux pizzas, histoire de faire ma première vraie soirée avec les enfants.

Au début, c'était timide, et au fur et à mesure les langues se sont déliées, ça faisait un peu mal, les griefs étaient nombreux, mais finalement ça m'a fait du bien, on s'est déridé et finalement c'était assez joyeux et chacun est parti se coucher.

J'ai regardé sur mon téléphone pour voir si je n'avais pas un message car j'avais mis la sonnerie en berne. « Vos gueules les mouettes », j'ai pensé… Et je me suis allongé.

Après avoir compté combien de fissures zébraient le plafond, m'être retourné une vingtaine de fois, j'en ai conclu que le sommeil ne serait pas au rendez-vous ce soir.

Oh merde, le journal… ! Je me suis levé pour récupérer le manuscrit de Marie, et j'ai commencé à le lire.

VELOURS : Nouvelle de Marie Nogués.

La folie a gagné l'immeuble tout entier, les volets claquent, les portes grincent, certains rient, d'autres pleurent. Je suis engoncée dans une couette, et comme au spectacle j'assiste au lever de la ville de Lorient. Je recule au maximum ce moment tant redouté, moment où je devrai poser mes pieds sur le sol froid, fuir mon abri, ma tranchée.

Un bébé hurle, biberon, toaster, cafetière, aspirateur, l'armée de l'électroménager a décidé de me déclarer la guerre… Alors, je m'incline, résistante de la dernière heure.

Des gestes automatiques me propulsent hors du lit, pain beurre, salle de bains, ascenseur et me voilà dehors, dans la grisaille de l'hiver.

« Bonjour ! » « Oui ! » « Non ! ».

Les premiers mots sont lâchés en direction de Jack l'Éventreur, le boucher du quartier, sourire aimable. Mais l'instant magique est proche... Je tiens la clef avec force pour dépuceler la serrure toujours farouche, je pousse la porte, et l'odeur fleurie qui inonde ma boutique me saisit tout entière.

Mais je crois qu'il est temps de faire les présentations, je suis Marie, la fleuriste du Bois du Château, la panseuse des cœurs. Les fleurs, c'est magique ! Ça vous prend, vous enivre, vous renverse, et c'est mieux que l'amour parce que ça vous satisfait. Je sais, je n'y vais pas de main morte avec le petit « égo » des hommes, mais il est bon de se faire plaisir parfois !

Mes fleurs ? Je leur parle, elles se dressent sur la pointe de leur tige et tendent une corolle pour encore mieux m'entendre. Mes confidentes... Ça fait rire et pourtant, même le psychiatre ne m'écoute pas autant, et en plus elles me font vivre, modestement bien sûr, parce que je les vends pour quelques poignées de dollars, mais quand même !

C'est tout un Art les fleurs, le langage, l'occasion, le souvenir, et dans mon quartier c'est encore plus important qu'ailleurs, on a de petits moyens avec un gros cœur, alors il faut toujours satisfaire tout le monde, et surtout le petit dernier qui avec sa pièce d'un euro voudrait offrir un champ de fleurs à une maman qui ne le lui rend pas toujours.

Mais on s'habitue ! Et puis on n'est pas là pour résoudre ce genre de problèmes, on est là pour vendre, un point c'est tout !

Ah oui, le psychiatre !

C'était il y a quelque temps, peut-être même un siècle, une autre vie sûrement. Il s'appelait M. Conabis, (traduire deux fois con), des yeux aussi bleus que la noirceur des banlieues, aussi profonds que la cuvette des chiottes et aussi expressifs que ceux de la vache qui regarde passer les trains. C'est vous dire ! Psy de son état, signe de reconnaissance : Aussi fou que ses patients, mais reconnu dans ses fonctions.

« Allongez-vous là, je vous écoute, merci, c'est cinquante euros, et à la semaine prochaine. »

Aussi simple que d'aller au cabinet, de vider un bon coup la pêche qui vous bousille la vie, on tire la chasse et c'est fini. On croit rêver... Mais c'est le monde qui est fou, il n'y a pas un psy capable d'analyser les états d'âme de la planète entière, trop de boulot... Tu penses bien ! Voilà pourquoi j'aime les fleurs...

Je n'ai pourtant pas eu de gros problèmes d'enfance et il paraît que c'est cette période qui détermine votre vie future, papa pas alcoolique, maman pas dépressive, alors comment j'ai pu rejoindre la cohorte des gens dits « anormaux » ?

La normalité, faut dire, c'est relatif ! Parce que, je suis sûre, qu'en fouillant un peu l'arrière-boutique des individus, on pourrait trouver des tonnes de problèmes, voire symptômes psychiatriques !

Tout ça pour vous dire que je suis née en 1982, novembre pour être plus précise, la belle époque juste après celle des pantalons pattes d'éléphant et du yé-yé, déjà tout un patrimoine en héritage, fille de Eugénie et de François Le Breton, plutôt Celtes sur les bords et bien bretons en dedans.

Née en novembre, on me disait tout le temps : « Et en plus c'est un scorpion, destructeur, autodestructeur ! Ces parents-là, c'était pas vraiment les miens, c'était ceux qu'on appelle une famille d'accueil. Mes géniteurs eux, inconnus... Née sous x... C'est mon matricule... Mon livret de famille... Moi !

La boutique est animée aujourd'hui, le moral est remonté et la rose se vend bien, mariée à l'œillet, le réveil douloureux n'est plus qu'un mauvais souvenir ! La sonnerie du téléphone trouble l'harmonie.

« C'est Alain ! ».

« Oui ? »

« Ça va ? »

« Oui ! »

« Huit heures, ce soir ! ».

Le clic du téléphone, la claque au-dessous du chapeau, juste dans la tête, il se rappelle que j'existe lui !

Les retrouvailles vont être fantastiques, ses problèmes et puis ses problèmes et peut-être que l'on terminera par ses problèmes. Puis, après si tout va bien on fera peut-être l'amour, tu m'excuses, à la prochaine : Alain, beau gosse charmeur, arnaqueur, l'élu de ma connerie.

Je crois cependant que je suis sa cible préférée ! Et je ne lui dis jamais non. Une semaine sans nouvelles et on raccroche les wagons, train perdu sans sifflet !

Cela doit faire cinq ans qu'il hante ma vie, j'étais alors installée à une table d'un bistrot sirotant un Perrier quand le prestidigitateur a ravi ma vie, pauvre idiote ! Tu pensais que ton univers de Barbie l'avait séduite, la petite fille rêvait, l'amour au rendez-vous, comme dans les bons romans feuilletons. Matins câlins.

Puis, le spectacle terminé, le public conquis, au tomber du rideau, le prince charmant a revêtu sa tenue de ville. M. Hyde en personne ! Si si, lui-même, les beaux matins se sont espacés au profit de longues nuits blanches, nuits d'angoisses : Où est-il ? Que fait-il ?

Eh bien, j'ai pensé. Pour une première lecture, faut avouer que le talent se niche dans l'écriture nerveuse et rapide. J'aurais bien continué à me perdre dans son monde, mais il me faut dormir, il fera jour demain. Ce n'est pas un journal intime, mais la majorité des romanciers même en herbe, importent des éléments de leur vie, je peux en apprendre plus sur elle.

À regret, j'ai fermé ce livre. En lisant ces deux premières pages, je comprenais déjà que sa vie n'avait pas été simple. Pire même ! Née sous x, morte sous x…

Encore une nuit agitée… J'ai vu tournoyer Gervais, Marie, Alvarez, et Elisa.

« Salut j'ai dit… Des nouvelles de maman ? »

« Oui me dit Malo, » avec une voix d'adolescent en train de muer.

« Et ? »

« Ils ont médicalisé la maison de retraite et c'est l'ARS qui est sur place »

« L'ARS ? »

« Oui, maman dit que c'est l'agence régionale de santé… Et du coup, il y a plus de monde pour aider, mais tout le personnel dort sur place ».

« Elle va bien ? »

« Ben je sais pas, pourquoi tu me demandes ça tu t'en fous d'elle ! Non ? »

« Malo, ferme-la », lui cria Océane, toujours lovée sur son canapé.

« Je descends à l'épicerie et je reviens ».

Et je les ai plantés là… Je me suis longuement demandé pourquoi j'ai accepté de les prendre, oui ils me manquent tout le temps, mais il y a tellement d'amertume dans leurs propos.

Puis soudain flash-back : Elle a beaucoup pleuré, Elisa, lorsqu'elle a su que je l'avais trompée. Pendant de longues années, la culpabilité m'a poursuivi, alors entendre mes petits « Moi » me faire des reproches. Tout cela ravive une sale période.

Finalement, on a mangé dans le calme, et après avoir rempli les attestations promenade, on est parti au bassin à flots...

On a marché sur le quai jusqu'à l'embarcadère, c'était une journée magnifique, ensoleillée, et le calme qui régnait ici permettait l'évasion.

Les pavés usés par le pas des badauds rendaient la marche mal assurée, comme un mal de terre que connaissent bien les marins après une longue période de traversée maritime.

On en oublierait presque que nous sommes dans une situation dramatique et que les trois quarts de la planète sont confinés.

La police municipale nous a demandé si on était en règle, je me suis dit à ce moment précis, que les libertés si chères à notre pays battaient de l'aile.

De retour à l'appartement, j'ai machinalement allumé la radio :

Point de situation sanitaire à 16 h le vendredi 3 avril 2020. Préfecture du Morbihan.

Le suivi de l'évolution de l'épidémie au stade 3 ne repose désormais plus seulement sur le nombre de cas confirmés, dans le cadre d'une stratégie de tests ciblés. Il intègre également des indicateurs relatifs aux données d'hospitalisation et de l'activité des professionnels de santé en ville (réseau de médecins dits « sentinelles », SOS Médecins...). Ces analyses permettront d'avoir une vision de l'évolution de la propagation du coronavirus dans les différents territoires de la région et d'adapter ainsi la réponse sanitaire.

Prise en charge des patients Covid-19 à l'hôpital en Bretagne actuellement :

251 en hospitalisation conventionnelle (+17 en 24 h) ;

113 en service de réanimation (-1) ;

39 en soins de suite et réadaptation (+9) ;

2 en urgence (+2) ;

5 en psychiatrie (-) ;

243 retours à domicile (+2).

69 décès (patients âgés de 60 à 97 ans) à déplorer dans le cadre des prises en charge hospitalière.

Je commence à m'inquiéter, si ça quitte les grandes villes et que ça arrive ici…

« Leroux, c'est Le Du ».

« Arrête des conneries Ange, j'ai reconnu ta voix, tu sais que je suis en congé ? ».

« Oui, mais tu me manquais beau gosse » !

« Je suis en train de préparer le planning de la semaine prochaine, on retourne sur Lomener ? »

« Oui, on prendra sûrement un sandwich, on doit interroger Mme Latouche, ainsi que Gervais… »

Ça faisait vraiment peu de temps qu'on se connaissait, mais j'avais l'impression d'avoir toujours travaillé avec Ange, c'était fluide, carré…

« Tu fais quoi ce week-end ? » m'a-t-il demandé malicieusement.

« Après avoir visité la cuisine et les chambres, je pense que je vais entreprendre la découverte minutieuse de la salle à manger… Du con va ! »

« Sans rire ? Moi j'ai épilé la pelouse ».

« Océane me demande de l'aider à faire une dissertation ».

« Une dissertation ? Non, pas d'intellectuels dans la police », acheva-t-il en riant à gorge déployée.

« Et le sujet, c'est quoi ? »

« Seul avec tous ».

« Ben, c'est le confinement non » ? On est seul avec tous !

« C'est pas idiot, on va réfléchir ».

« Et du coup », reprend-il, « puisque tu vas exceller en dissert tu vas pouvoir continuer le rapport de l'affaire Marie-Nogués ».

Ce soir, j'ai retiré la planche que j'avais glissée sous le lit de ma chambre, l'ossature du puzzle y était posée, j'ai repris les gobelets dans lesquels j'avais trié les pièces par couleur, et me lançai à la reconquête d'un paysage inachevé.

J'avais repris ce hobby depuis 4 ans déjà, une véritable addiction.

Avec Océane, on a cherché des romans, des films et des chansons pour illustrer son sujet, c'était sympa ce moment.

Pour les titres de chansons, je lui ai proposé « la foule » de Piaf, elle s'est marrée… Et m'a traité de ringard… Je ne pensais pas être déjà vieux à ses yeux… Elle m'a fait écouter « la thune » d'Angèle…

« Et puis à quoi bon ?
T'es tellement seul derrière ton écran
Tu penses à c'que vont penser les gens
Mais tu les laisses tous indifférents ».

Ben en même temps, elle est dans son sujet aussi, les jeunes vivent tellement d'expériences virtuelles. Ma fille m'a même invité à participer à un apéro virtuel… La découverte totale, si je veux me recycler au commissariat je vais postuler sur les nouvelles technologies… Là-bas, on en est encore à la machine à écrire Olivetti à ruban, il existe une marge de progression incontestable.

C'est un concept, tu causes, tu bois un coup, tu te marres, l'écran est divisé en autant de carrés qu'il y a d'invités… Le bon côté de la chose, c'est qu'après tu n'as pas le ménage à faire et chacun lave ses verres chez lui. Personne ne dégueule sur le canapé, et tes invités ne se tuent pas en voiture en sortant de chez toi… Et puis faut avouer que j'ai pu mettre des visages sur les fréquentations d'Océane…

Malo vient de rentrer dans la pièce et reste les bras ballants.

« Tu écoutes Angèle toi ? »

« Non je m'initie… Et toi, les devoirs ? ».

« Des maths ».

« Tu veux de l'aide ? »

« Non… C'est cool ».

On a fini le week-end avec une pizza maison…

Ce matin pour fêter la première journée de boulot, on a chanté le « lundi à Lomener » en duo Ange en ténor : Démarrer la semaine en chantant, c'est cool aussi.

Avec Ange, on a décidé de retourner dans l'immeuble de Marie, nous voulons rencontrer Mme Latouche, l'autre voisine. Le côté pratique du confinement, c'est que tu ne trouves pas porte close… Tout le monde est présent.

J'ai tapé à la porte, puis recommencé.

« C'est qui ? »

« La police Madame, nous venons pour l'affaire de votre voisine Marie.

"Oui… Entrez." »

Elle reste à distance, et nous invite à faire de même…

Comment définir cette femme ? Insipide ? Transparente ? Un sourire avenant balaie aussitôt ma première impression.

« Bonjour Madame, vous êtes bien Mme Latouche » ?

« Oui, messieurs les policiers ».

Je me présente : Gabriel Leroux, brigadier au commissariat de Lorient et voici mon collègue Ange Quémenerien.

Elle nous fait entrer, dans une salle à manger aussi rustique que celle de son voisin Latouche.

« C'est pour Marie ? »

« Oui, je vois que vous suivez l'affaire ! »

Ben Lomener, c'est un bourg… Tout le monde ne parle que de ça, et on a le temps car pour faire les courses on fait la queue sur le trottoir…

« Vous la connaissiez bien ? »

« Oui, elle venait dans mes cours d'ateliers d'écriture ».

« Et ça consiste en quoi ? »

« Nous utilisons des méthodes sous forme de jeux, grâce aux contraintes des exercices, on arrive à libérer l'écriture ».

« Ah oui tout de même ! »

Je voyais Ange réprimer un éclat de rire… Il fallait que je reste sérieux.

« Et ça marche ? »

« En tous cas, pour Marie ça fonctionnait bien. Je crois qu'elle écrivait, sans doute des exercices, mais ces derniers temps je ne la voyais pas trop ».

Voilà pourquoi j'ai trouvé dans ses papiers ce manuscrit, elle était apprentie écrivaine… Elle écrivait depuis longtemps mais elle voulait progresser.

« Vous n'avez rien remarqué de particulier ces derniers temps ? »

« Si je viens de vous le dire, elle avait l'air soucieuse, et Alvarez lui criait souvent dessus, une histoire de loyer, je crois ».

« Qui pourrait lui en vouloir d'après vous ? »

« À part son propriétaire, je ne vois pas. Marie était appréciée ici, auparavant je crois qu'elle habitait au Bois du Château, il me semble qu'elle n'avait pas de famille, ou alors une famille d'accueil ».

« Des enfants ? un fiancé ? »

« Je ne crois pas ».

Son regard s'était assombri, j'ai ressenti le malaise du départ… Je n'ai pas pu m'empêcher de jeter un regard circulaire dans la pièce, c'était rangé, des photos sur les murs, des orchidées magnifiques qui trônaient sur la grande table en bois.

Une horloge se prenait pour un rossignol qui avait bouffé le coucou, et luxe ultime un grand portrait représentant des mariés et qui avait l'air de dater du siècle dernier.

« Mme Latouche, c'est vous là ? ».

Elle rosit légèrement, « oui, c'est mon défunt époux ».

« Bel homme, » j'ai dit. Les bacchantes soignées de l'homme marquaient le respect…

« Parti trop tôt comme on dit ».

« Vous avez des enfants ? »

Elle a hésité et m'a répondu par un non sec, qui signifiait la fin de la conversation… C'est souvent le cas des personnes en mal d'enfant.

J'ai dit à Ange qu'on partait.et je me suis ravisé…

« Mme Latouche, connaissez-vous Gervais ? »

« Oui ». Je ne connais que lui…

« Vous avez un lien de parenté avec lui ? Mr Lecat m'a dit qu'il venait souvent chez vous ».

« Souvent, souvent… Il est bien bavard celui-là ».

« Gervais est un jeune garçon simple, il vient m'aider pour porter les courses à Mr Lecat, et moi je lui donne un coup de main pour remplir ses papiers, c'est un pays ou l'administratif est très compliqué ».

« Jeune, dites-vous ? »

« Oui, mais dans la tête c'est compliqué ! »

« Merci pour votre collaboration, Mme Latouche, nous reviendrons sûrement si nous avons besoin d'autres renseignements »

Elle a bredouillé un rapide au revoir, et à peine la porte franchie, a refermé le loquet de la porte.

Le nez au vent, on est revenus longer la côte, histoire de réfléchir…

« Ange, tu as pas dit un mot, tu es malade ? »

« Non, tu questionnes, moi j'observe »

« Et ? »

« Elle en sait plus qu'elle veut nous en dire ».

« Oui, j'ai pensé aussi, assez évasive par moments, mais je pense qu'elle l'aimait la petite Marie… »

« Sans doute… »

« Au fait, j'ai prévu les sandwichs et une petite bière, on mange dans le coin et on va ensuite voir Gervais ? »

« Ok ».

Hier soir, j'ai repris le manuscrit de Marie. Je n'ai pas été long à me replonger dans ce rythme effréné.

« Bonjour,

Retour sur terre ! Je saisis le sopalin afin d'essuyer la terre qui brunit mes mains et m'avance vers le « Bonjour » en question.

Mon champ visuel vient de s'emplir d'un mètre quatre-vingt-dix de sourire, tous mes sens sont en alerte, touchée en plein cœur.

« Monsieur, vous désirez ? » Une botte de navets et un kilo de poireaux, mais que tu es stupide ma pauvre fille ! Que peut-il me vouloir d'autre en entrant dans un magasin de fleurs !

La belle voix renchérit :

« Mademoiselle, j'ai besoin de vos compétences, car figurez-vous que je vais à un mariage prochainement et j'aimerais offrir des fleurs. »

« Bien sûr monsieur. »

« Mais je suis veuf depuis peu, et j'aimerais être sobre dans mon présent. »

Là, cela se complique... Je réfléchis un moment en essayant de me souvenir du langage des fleurs et les propositions que je pourrais faire en tenant compte de son veuvage.

« Un bouquet d'œillets blancs pourrait convenir, le lys aussi mais l'odeur est entêtante. »

J'allonge le bouquet sur un lit de verdure, la fleur s'étire voluptueusement, je plisse et je froisse le papier cristal, mes doigts s'animent à parer les belles, la pointe du ciseau enroule le ruban. Le ruban file, mon regard se défile, surtout ne pas le regarder !

Ses yeux me caressent, m'épient, me piègent.

Puis il va partir, sans savoir l'émoi qui s'est emparé de moi, mes yeux quittent l'ouvrage et se lèvent tout doucement vers le soleil, peur d'être éblouie !

Je réprime le chant d'amour qui emplit mes poumons pour laisser fuser :

« Trente euros, monsieur, s'il vous plaît. »

Puis la porte s'est refermée, sans faire de bruit, le soleil qui inondait ma boutique s'est éclipsé et moi je reste plantée la, les billets dans la main.

Je crois qu'elle se tient quelque part par-là, ma folie, je manque tellement d'amour ! Un inconnu passe et je flambe comme une allumette en me consumant dans le regret éternel, ensuite il reste comme un goût de cendre puis c'est le néant.

Il est vrai que lorsqu'on a trainé toute sa vie de famille en famille, on s'attache, on s'aime et on se quitte... Plus brutale est la chute.

Les cloches se sont mises à sonner à la volée, envolée de sons, il est déjà midi !

La terrasse du café est déjà assaillie et je me fraye un passage afin de m'installer dans un petit coin, un tout petit coin ou personne ne pourra me remarquer.

« Alors Mme Lafleur, un sandwich au jambon, comme d'habitude ! »

Mme Lafleur... Tu parles, et si j'étais gynécologue il me dirait « Alors Mme Vagin, comme d'habitude, mais comme d'habitude je vais me taire... »

Mon activité cérébrale est en effervescence, les pensées se bousculent, mais elles ne franchissent jamais mes lèvres, un capteur détourne mon idée première au profit d'une phrase édulcorée.

« Merci Monsieur. »

Le quartier aussi est « aspartam ». Du moins à cette heure-ci, c'est la nuit que les chats sont gris ! Tout le monde est aimable, propret on parle de la pluie, du beau-temps et encore de la pluie parce que l'on est en Bretagne. Les quelques amoureux ont déserté les bancs publics et mégotent ou ergotent sur le loyer à payer, bref, ils souffrent de leurs sympathiques.

L'ombre des grands bâtiments (traduire : Cage à lapins) s'étire doucement, elle écrase la luminosité de ce début d'après-midi, les goélands poussant la gouaillante, avec un peu d'imagination on se croirait sur la plage de Sète, oui oui, en Méditerranée !

Mais nous sommes au Bois du Château, endroit chaud par excellence, « bois de la chatte » disent les gens du quartier.

Nous sommes qualifiés de drôles d'acronymes bien à la mode dans les ministères, « ZEP, ZUS », « Zones franches », « Zones d'éducation prioritaires », « Zone d'activité », bref, de la Zone rien que de la zone.

Je frissonne, il est l'heure.

La culbute pour la serrure et je suis dans ma boutique. Madame Lafleur ne laisse pas le temps à la digestion d'œuvrer.

« Bon les sandwiches c'est bien, mais la mayonnaise me reste sur le ventre ».

Ange a éclaté de rire, un vrai guignol ce collègue.

« Pourquoi tu te marres ? » J'en ai de collé au coin des lèvres ?

« Non, j'avais l'impression que tu étais parti en voyage le temps du repas. »

« Oui, j'étais encore dans le manuscrit de Marie Nogués, j'ai du mal à le quitter, comme un bon roman et j'espère y trouver d'autres éléments pour l'enquête. »

« Utopiste, » il a dit, et a tourné les talons.

« Tu vas où ? »

« Pisser derrière l'arbre, mais t'inquiète malgré le vent j'arriverai à viser ».

C'est incroyable ! Lomener est presque une petite station balnéaire et certaines villas sont luxueuses, mais il existe aussi en bord de mer, des bâtiments vétustes qui néanmoins bénéficient d'une vue à couper le souffle.

Dans cet immeuble-là, tout est gris, usé… Les volets en bois rongé par le sel, un corridor où l'on ne peut pas se croiser à deux, un relent de moisi et d'humidité…

3e porte à gauche, sur la porte une étiquette comme celles qu'on collait sur nos cahiers de classe, bordée de rouge sur laquelle on peut lire : Gervais le Gwenn.

Une inscription enfantine, des lettres arrondies…

Je n'ai pas encore sonné mais voilà déjà qu'une drôle de tête se glisse dans l'interstice.

Mais je le connais ce type ! C'est lui qui m'a bousculé sur le port la première fois que je suis venu ici, et c'est aussi lui qui me surveillait en sortant de chez Marie.

« On peut entrer ? Police ! » Il est devenu aussi blanc qu'un linge d'un coup.

« Oui » a-t-il dit.

« Vous êtes bien Gervais le Gwenn ? »

« Oui monsieur le policier ».

« Je suis le brigadier Leroux et voici mon collègue, Mr Quemenerien ».

Son visage est mangé par un masque et l'élastique écrase l'arrière de ses oreilles, on dirait le simplet des sept nains. Il recule pour nous laisser entrer…

Dans la pièce principale, un capharnaüm, des sacs poubelles jonchent sur le sol, la table est ensevelie d'une pyramide de vaisselle… Le syndrome de Diogène vous connaissez ?

Je regarde Ange et lui glisse on ne reste pas !... Direct à l'essentiel.

« Vous connaissez Marie Nogués ? »

« Oui, c'est ma coupine ».

« Votre copine ? »

« Oui, c'est ma coupine », répète-t-il, obstiné.

« Et vous la connaissez depuis longtemps ? »

« Oui, c'est ma coupine ».

« Monsieur Le Gwenn, je crois qu'on a compris, depuis quand la connaissez-vous ? »

« Oui depuis longtemps ».

Je suis en train de me dire qu'on ne va pas en tirer grand-chose…

Oui, non, non et oui…

« La dernière fois que vous l'avez vue ? »

« Avec Mr Alvarez, il est méchant avec elle »

« Méchant ? »

« Oui je l'ai vu, il crie sur elle, il crie très fort »

« Il la frappe ? »

C'est incroyable, je me demande pourquoi je prends cet air débile en lui parlant, dans l'ensemble ses propos sont cohérents.

Je me suis même demandé un moment si l'appel anonyme au commissariat ce n'était pas lui…

À l'école de police, on nous a expliqué qu'il fallait se mettre à la portée de son interlocuteur, et je m'étais toujours attaché à le faire.

« Il la pousse, sur la digue ».

Pendant ce temps, Ange s'est approché de lui, et le fixe du regard.

« Monsieur, dit-il, c'est grave ce que vous dites là, vous accusez Alvarez d'avoir poussé Marie sur la jetée ? »

« Oui, j'ai dit ».

Puis il a fait une pirouette, et s'est assis dans le fauteuil, s'est pris la tête dans la main, et on l'a entendu gémir…

« Méchant Alvarez, méchant Alvarez ».

« C'était quand ? » ai-je repris.

« Le matin, hier matin ».

« Hier, c'est pas possible, Monsieur, Marie est morte depuis près de deux mois ».

« Pas morte Marie » il a hurlé…

« Marie est belle, elle me fait des bisous tout le temps, Marie est gentille »

« On fait quoi, Leroux ? » me demande mon acolyte.

« Je sais pas, il est un peu fadet ? On va consigner tout ça et on va retourner voir Mme Latouche. »

J'ai senti vibrer mon téléphone dans ma poche, j'avais mis la sonnerie de la mouette sur silencieux.

« Allo, oui, ah bon, oui vous vous débrouillez je serai là vers 20 heures. »

« Un problème Gabriel ? »

« Non, ce sont les jeunes qui m'attendaient pour manger, j'ai dû oublier de les prévenir que je restais avec toi ce midi, le temps leur paraît interminable, nous on a la chance de bouger… »

Déjà 15 h !

« Monsieur Gervais, vous ne devez pas quitter le territoire, et rester à la disposition de la police, on viendra prendre votre déposition dans la semaine, vous ne pouvez pas venir au commissariat pour l'instant ».

Hagard, il m'écoutait parler en roulant des yeux…

« Au fait, vous n'avez pas téléphoné au commissariat il y a quelque temps ? »

« NON NON et NON ».

On l'a planté là, au milieu de ses ordures, ne sachant pas si on devait le croire, donner un peu de crédit à ses paroles et en imaginant déjà le poids plume de son témoignage.

« À Lyon, avant mon divorce, j'avais été déjà confronté à ce genre d'individu, une femme sous traitement antidépresseur, elle accusait formellement son voisin de l'avoir violentée, à cette époque on ne donnait pas d'importance à ce genre de plainte. »

Elle était comme Gervais, engoncée dans sa chaise et répétait comme une litanie, « il est méchant, il m'a fait du mal ».

Lors de sa première audition, le planton de service lui avait demandé si elle était souvent habillée de cette manière, petite jupe courte et pull-over près du corps…

« Faut pas se plaindre, madame quand on cherche on trouve ».

Je passais à ce moment, je ne pouvais pas croire ce que je venais d'entendre dans la bouche d'un policier, j'ai repensé à ce slogan que j'avais lu à la station du métro, et que je risque d'afficher dans nos murs :

« Elle n'est pas habillée comme une salope, tu penses juste comme un violeur ».

J'ai demandé à cette femme de me suivre et à l'issue de la déposition, j'ai demandé un mandat de dépôt contre son agresseur'

« Et alors, Gabriel, que s'est-il passé ? »

« Ben rien, au tribunal elle répétait tout le temps, il est méchant… À la fin, le juge a classé l'affaire sans suite. »

« Alors tu veux dire que si Gervais témoigne… »

« Oui »

« Tu sais Ange ça m'a poursuivi longtemps cette histoire, aussi parce que j'ai une fille, les femmes se font violer juste parce qu'elles sont belles, ou désirables. »

Les femmes se font battre aussi dans leur sphère familiale, parce que certains individus ont cru signer un contrat de propriété en lieu et place d'un contrat de mariage… Ou de PACS.

« C'est un problème bien de notre époque ».

« Non je ne crois pas, les femmes ont toujours été victimes, mais avant elles ne se plaignaient pas, elles subissaient… »

Parfois, je me dis qu'on fait un métier de merde. Mais on peut aussi faire bouger les lignes des comportements, maintenant pour les plaintes des femmes on s'est formés, et si on peut on les fait témoigner devant des collègues féminines. On évolue notamment grâce aux associations.

« Ah oui » me répond Ange, « "Nous toutes", ma femme fait partie de ces associations de défense des femmes ».

« Ah bon ? »

« En même temps, dans le milieu médical, elle doit en voir passer »

« Oui, d'ailleurs à Lorient il y avait un lieu d'accueil pour toutes ces femmes en détresse »

« Il y avait ? »

'Oui, fermé… Il a fallu qu'elles manifestent devant la mairie, devant la sous-préfecture, qu'elles multiplient les actions, pour attirer l'attention des pouvoirs publics locaux.

Et pourtant, ils en ont nommé une au gouvernement ! Marlène S, secrétaire d'État chargée de l'égalité…

« Tu sais ce que j'en pense des politiques… Lorsqu'ils ont les places, ils en oublient les causes… »

« Pour en revenir à notre histoire, on ne pourra pas engager de poursuite sur Alvarez avec le seul témoignage de Gervais, faut qu'on creuse… Discrètement ».

La journée avait été pauvre en contact, mais riche en évènements sur le lieu de l'enquête, et c'est donc en rentrant à la maison que j'ai trouvé la troupe affalée dans le canapé devant une série…

Les séries, un sacré phénomène aussi, Océane m'a expliqué que son niveau d'anglais avait énormément progressé car elle les regardait en version originale…

Loin, très loin de nos manuels… My name is Mary… Et les cache-textes qui ne laissaient apparaître que les images…

« J'ai fait des spaghettis bolognaise, et on a été se promener une heure sur les quais, c'est vraiment flippant… Pas un chat, une ville morte ».

« Des nouvelles de votre mère ? »

« Oui, ça va, mais elle est fatiguée, vivement que ce virus dégage… »

« Vous êtes inquiets par cette maladie vous ? Vous en pensez quoi ? »

« On ne pense pas, on attend que ça se passe ».

Voilà, j'ai compris que ce soir on ne parlerait pas plus que ça, j'ai salué ce petit monde et après une douche, j'ai retrouvé la quiétude de ma chambre.

Madame Lafleur s'active, slaloms parallèles entre les bacs verts, je bouture, tu obtures, il ligature conjugaison obligée pour un renouvellement... Quelques contractions pour mettre en terre, étonnant ! Le miracle de la vie, bourgeons tendres.

De racines en brindilles, le temps s'est écoulé alors je m'attelle à un sport national : Lecture du journal, non bien sûr ce n'est pas une vocation, c'est une obligation...

Les décès tout d'abord, rassurant ! 80,82 ans, pas de lézard, c'est l'ordre des choses, 35 ans un peu jeune, mais avec les cancers, le sida et toutes les autres maladies faudra s'y faire !

Mme Dupré...

Oh merde ! La voisine a cassé sa pipe, je l'ai pourtant vue dimanche, oui le petit bouquet de fleurs pour mettre sur la tombe de son mari, que je me rappelle elle était comment ?... maquillée comme d'habitude, le fond de teint sur le col de la chemise et le rouge à lèvres sur les dents ! Elle n'avait pourtant pas la langue dans sa poche ce jour-là, bon, je vais devoir aller aux obsèques ! Ce n'est pas que j'en ai envie, mais après ça jase dans le quartier, les absences...

Et son chat ? Bof, il y aura bien quelqu'un pour s'en occuper.

Bon ben voilà, il y aura de la discussion dans le quartier.

Le commerce c'est étonnant, on se doit (je ne sais pas par quelle alchimie) de papoter comme ça pendant des heures sur un sujet, et c'est pour cela que j'en suis venue au journal, Je fais comme les autres j'ai toujours quelque chose à raconter ou à commenter, et pendant ce temps-là, on ne parle pas de soi !

Les faits divers aussi on aime bien, tu te rends compte, un flic…

Il a tué sa femme, ses deux gosses, sa belle-mère et puis il s'est supprimé ! Il s'en passe dans la tête des gens pour faire des choses pareilles !

Et puis ça rassure, on n'est pas si fous tout de même !

La fermeture se profile à l'horizon, les courses aussi, l'invité sera là à huit heures.

« Bonjour Mme Lafleur, »

« Bonjour Mme Poireau »,

« Qu'est-ce que vous me conseillez aujourd'hui ? »

« Les tripes là, faites de ce matin coupées fin menu et revenues à la tomate avec un peu de vin blanc. »

Manger des tripes, et pourquoi pas, après tout cela nous dénouera peut-être les boyaux,

« Mettez-m'en pour deux personnes, trop tard le mot est lâché ! »

Madame Poireau reprend lourdement « pour deux personnes ? »

Un sourire entendu qui sous-entend ce qu'elle veut bien entendre.

« Ben oui, pour ce soir et pour demain »

« Donc pour deux repas, je trouvais bizarre aussi parce s'il y avait eu quelqu'un d'autre on le saurait ? N'est-ce pas madame Lafleur ! »

« Bien sûr ».

« Vous avez su pour Mme Dupré ? »

Hochement du chef.

« C'est t-y pas un malheur, dimanche on rigolait encore ensemble, et paf comme ça plus rien ! ».

Sourire,

« Un cancer, je crois »

« Ah ! »

« Oh oui toujours les idées en voyage »

« le cancer ? »

« non son signe astrologique ! sa mort c'est la rupture de rustine, enfin je crois.

« Anévrisme madame poireau, anévrisme ! »

« Mais c'est pareil tout ça, ça pète quand même ».

On n'est décidément pas sur la même longueur d'onde toutes les deux. Mes tripes dans le panier, le panier sur le bras, tout est encombré chez moi.

Dernière étape, enfin, la boite aux lettres, je repose mon barda ouvre la boite et commente à voix haute :

"URSAFF, EDF, PUB… »

Heureusement que les administrations sont là tout de même, elles seules emplissent les boites aux lettres, les seuls qui vous rappellent que vous existez, Citoyen quel est ton nom ?

« Porte-monnaie ! »

J'appelle l'ascenseur qui reste muet à la pression de mon doigt, ce n'est pas le jour mais tant pis, l'escalade de l'Everest est rude mais j'atteins enfin le dernier palier et plante le fanion dans la serrure.

Enfin chez moi ! Le parcours du combattant a été rude, comme chaque jour d'ailleurs, ceux qui se suivent et se ressemblent. Je mets Barbara sur la platine et l'aigle noir plane au-dessus de mes fourneaux, je fredonne cet air tant aimé, cette chanson que beaucoup prennent pour une histoire d'amour.

La sonnette retentit, vingt heures précises, c'est un miracle, j'en pleurerais presque, à l'heure en cinq ans de vie « commune ».

Mme Lafleur se précipite dans le hall et se jette à la tête de...
La voisine d'en face, c'était trop beau !

« Est-ce que vous auriez un peu de lait ? Parce que figurez-vous que les enfants ont décidé de faire un gâteau...
Et le moulin à parole tourne, tourne encore une tirade d'un quart d'heure, comme cela sans respirer, ça c'est de l'art. »

« Merci Mme Lafleur, les enfants vous le rendront. »
Et pourquoi pas le bon Dieu tant qu'elle y est ! et c'est reparti, heureusement que l'on ne paye pas les factures de salive car elle serait sûrement ruinée, tout ça pour un litre de lait.
Je retourne surveiller l'aigle noir, des fois qu'il mange mes tripes, l'odeur se répand dans la maison, je jette un coup d'œil sur la pendule, mais elle ne s'est pas arrêtée pour écourter mon attente.
Vingt heures trente ! Alain qui tarde, et la moutarde me monte au nez...
Il m'a pourtant dit qu'il allait m'installer dans un pavillon un jour, qu'il fallait encore fidéliser sa clientèle, et en attendant a-t-il rajouté, on pourra aller à Lomener, dans un appartement sur le front de mer...
je m'y voyais déjà... Bercée par le chant des sirènes...
Pauvre fille, des emmerdes jusqu'au cou, des rêves d'ados, et un type qui puait la magouille...

Pauvre fille, j'ai pensé avant de m'écrouler de sommeil... Oui, elle avait raison et n'aura jamais su à quel point.

Ma mouette est enrouée ce matin, son cri ressemble au corbeau c'est mauvais signe.

« Oui Ange, bonjour, que me vaut l'honneur. Si tôt ! »

« Le chef… Rendez-vous dans son bureau dans 1 heure, réunion distanciée, il paraît qu'il y a des huiles avec lui. »

« OK… Je te rejoins en bas ».

Au poste : Une nouveauté, une odeur de javel qui pique les narines… Grand nettoyage, oui on va sûrement voir du beau monde…

On a commencé à se faire au nouveau monde, un check avec le coude, oublié la jolie poignée de main.

« Salut ».

L'escalier au pas de course, le toc-toc réglementaire et la voix éraillée du chef

« Entrez ». La grande salle du commissariat s'est métamorphosée…

Des chaises espacées, le regard courroucé du chef qui lorgne sur un flacon de gel hydro alcoolique qu'on a oublié.

« LeRoux et Quemenerien sont les deux agents chargés de l'enquête ».

Présentation est faite, le sous-préfet récemment arrivé et le commandant de gendarmerie de Pont-Scorff.

« Voilà, si j'ai voulu vous voir en présence du sous-préfet, et du commandant c'est pour vous signifier qu'on va vous mettre "entre-parenthèses" sur l'affaire en cours. »

Ce sous-préfet a l'allure du siècle dernier, se veut empathique, et grimace un sourire, alors que le commandant revêt un air très solennel.

« Chef, on n'a pas fait de conneries ? »

Trop tard, Ange surpris par l'annonce a oublié le vocabulaire nécessaire réservé aux hôtes…

« On a mis les stups sur le coup, derrière une banale histoire de cadavre, il se pourrait qu'on soit tombés sur une courroie de transmission d'un baron de la drogue, et une sacrée filière ».

Ensemble on a dit :

« Alvarez ? »

« Mais non » J'ai repris : « Alvarez c'est un toquard, de la seconde zone… »

Le sous-préfet a repris son air guindé.

Votre Alvarez, il est déjà tombé, il y a quelques années, il habitait au Bois du château, il a installé le trafic. Il s'en est bien tiré, petite peine, il n'était pas récidiviste.

Ensuite, on n'a plus entendu parler de lui, il s'est marié, a monté une affaire de rénovation d'appartement, il a juste gardé une attache avec son ancienne maitresse, une fleuriste.

On a profité du confinement pour aller dans les caves et après une belle saisie, on a coffré deux types, la procureure soupçonne les contours d'un réseau bien structuré.

« Quel rapport entre Alvarez et ce réseau ? »

Dans la cave, on a aussi trouvé un trousseau de clefs, et son nom était écrit dessus « comme le Port-salut, » s'est esclaffé le commandant de gendarmerie…

« Écrit ? je ne comprends pas »

« L'adresse d'une autre cave du port de Kernével, et là c'est 200 kg de blanche qu'on trouve ! »

Mon puzzle… Toutes les pièces s'emboitaient les unes après les autres… Marie, la fleuriste n'était donc pas un personnage fictif du roman… Alvarez et Alain c'est la même personne, l'appartement de Lomener… L'appartement du Kernével que louait le collègue du capitaine Mérou.

J'ai toujours pensé qu'un auteur livre une part son histoire…

« Chef, votre trafic de drogue, c'est bien, mais moi je fais quoi pour mon cadavre ? » « J'ai un témoignage, Alvarez a été vu sur la jetée, il l'a poussée la Marie ».

Le commandant de la gendarmerie qui s'était tu jusqu'à présent a alors demandé

« C'était quel jour ? »

« Le 27 février, vers 8 heures du matin ».

D'ailleurs, c'est à la même date qu'il a fait la déclaration de disparition, même si personne n'avait vu la fille depuis quelque temps.

« Un seul témoin ? »

« Oui, et pas le moindre, un pauvre type Gervais, un peu benêt, et amoureux de la fille en plus, d'ailleurs Alvarez pensait que c'était lui qui aurait pu faire ça, se défaussant ainsi, des fois ça disjoncte, on ne sait pas pourquoi ».

« Oui pas faux ».

J'ai préféré taire à tout ce petit monde ma lecture du moment, et surtout ce qu'allait me révéler la fin de l'histoire.

« Je vous ferai parvenir l'emploi du temps de votre criminel », il est pisté depuis le début du mois de février par nos services ».

« Merci mon commandant ».

Mon chef pouvait être fier de moi, zélé… Poli, bon flic quoi !

L'histoire peut s'arrêter ici… Mon coupable en taule, tombé pour meurtre et pour trafic, les gens heureux n'ont pas d'histoire…

« Le jour d'après »… C'est dans l'air du temps, les scientifiques, les politiques, les journalistes se relaient sur les plateaux télé ou alors chez eux… Abandonnés par leur public.

C'est un concept, destiné peut-être à donner de l'espoir à ceux qui ont déjà pensé la fin du monde, à toutes les âmes esseulées qui ont dû s'accommoder de leurs quatre murs… Uniques interlocuteurs.

Toutes nos erreurs, écologiques, économiques, sociales n'auront plus de place dans ce nouveau monde du jour d'après, un mea culpa collectif… Bla Bla Bla…

Pour ma part, ce jour d'après est arrivé le 7 mai… Malo et Océane m'attendaient sur le pas de la porte…

« C'est fini, c'est fini ! »

« Qu'est-ce qui se passe, pourquoi êtes-vous dans cet état ? »

« On dé confine, le Premier ministre prend la parole tout à l'heure. »

« On va rentrer chez nous ! » a ajouté Malo.

Presque deux mois que les enfants étaient avec moi, deux mois de doutes, de réconciliations, de disputes, d'apprentissage les uns des autres…

Ce soir, la maison était silencieuse, chacun se projetait à présent dans une nouvelle vie en voulant oublier celle qui s'était brutalement mise en parenthèse.

Malo a allumé la télé, et le Premier ministre a commencé ses annonces pour « Mener à bien le plan de dé confinement… ».

« Pourquoi sa barbe est tachée ? » m'a demandé Océane.

Oui pourquoi !

« Maman a appelé, elle sort de son boulot, 17 morts chez les résidents, elle va te recontacter ».

Alors c'est ainsi ! Fin de mon affaire, fin d'une respiration avec deux enfants que je ne verrais pas avant longtemps, fin du chacun chez soi… Fin.

C'est également ainsi que finissait le manuscrit de Marie, je n'ai pas pu m'empêcher de l'ouvrir à la dernière page.

J'ai longtemps hésité, reprendre ou je l'avais laissé, continuer à me perdre dans ces mots qui dansaient devant mes yeux, ou couper court, aller à l'essentiel pour recueillir les nombreux éléments qui auraient pu me manquer…

Les minutes s'égrenaient dans le hall de l'hôpital, à cette époque c'est un de mes passe-temps favoris : Observer la fuite du temps.

Des blouses blanches s'agitent dans tous les sens, se frôlent, se touchent, rient ; L'univers carcéral des oubliés de la vie, les rescapés des neurones, les détenteurs d'endorphine. C'était là qu'on nous mettait, nous nous appelions alors, skyzo, pyro, parano rien que des histoires d'O sans aucun érotisme.

Les matins se ressemblaient tous, cachets, croissants, promenade dans le parc, de vraies vacances Relais et châteaux, sans le château bien sûr…

Quand on arrivait là, c'était souvent allongé, calmé par un tranquillisant quelconque, sanglé la plupart du temps.

C'était la 1re phase : passive, après on devenait un peu plus courageux et on essayait d'aller voir les autres, la phase d'observation durait quelque temps, puis venait la phase finale, celle de l'assaut ! Faut vous dire que certains cas dangereux n'hésitaient pas à vous balancer en travers de la figure le premier objet venu, mon premier ovni a été un bol : identification faite à l'atterrissage ! Intéressant ! Une belle faïence de Quimper… Et une grosse peur !

L'atmosphère était aussi feutrée que mes chaussons, et les visites chez le psy éclairaient alors mes journées à défaut d'éclairer mon esprit. Je faisais à sa demande des dessins, analysais des formes et mon jeu favori était à chaque fois, de varier les réponses, remettant ainsi en cause son diagnostic !

Mon corps était squelettique, anorexie oblige et l'absence de seins m'obligeait à me vêtir de grands pull-overs informes.

J'avais beaucoup pleuré quand on m'avait annoncé la mort de ma maman d'accueil, et ensuite ce fut la sécheresse... Les larmes n'arrivaient pas à franchir les cils, source tarie !

Un long mois à me couper du monde.

Marie avait quinze ans et déjà tant de malheur !

***

La sonnette se déchaîne, une fois de plus ! La voisine aurait-elle besoin d'autre chose ?

La silhouette émaciée qui se dégage de l'embrasure me soulève de terre, quel romantisme, mais mon regard accroche la pendule de l'entrée : 22 heures !

Les tripes nouées et calcinées sont posées sur l'assiette, la cerise sur le gâteau !

Mon prince charmant semble lui, sortir de prison, mal rasé, le regard vitreux.

— Tu as des ennuis ?

— Pas plus, pas moins,

— Du boulot ?

— Je bricole,

— De l'argent ?

— Je survis.

Devant l'intensité du dialogue, j'ai saisi au vol les deux assiettes et me suis précipité noyer mon chagrin dans l'eau de vaisselle. Les bulles éclatent sous la tiédeur de mes larmes, puis j'éteins les lumières et me dirige vers la chambre. Il est là qui dort déjà, je me glisse à côté de lui en songeant à ces folles soirées d'avant, oui d'avant.

La nuit porte conseil, et je me décide enfin à le quitter... Mentalement, je prépare la phrase la plus délicate pour le lui dire sans le heurter. Je connais trop les déferlements de violence...

Le sommeil n'a pas été au rendez-vous et le jour qui inonde déjà la chambre me le confirme, j'ai juste l'impression de dormir depuis une heure.

Il est déjà levé, je l'entends qui tousse dans la cuisine, et quand le jour pénètre enfin par la faille du volet, j'aperçois sa silhouette longiligne et je m'extasie encore sur sa plastique ! Les maillons de la chaîne qu'il porte au cou brillent du premier rayon de soleil.

Une balafre qui prolonge le sourire.

La douche va être froide et à présent je règle ma voix sur un ton qui ne lui laissera pas le temps de répliquer.

« Bonjour, je peux t'apporter ton café ? Tu es réveillée ?

J'en reste ébahie, il porte un plateau sur lequel une tasse fume, à travers les volutes, une rose rouge est plantée dans un soliflore, ma haine fond comme neige au soleil. Le baiser qui ponctue la phrase n'arrange pas mon état émotionnel intérieur, je balbutie à présent de vagues remerciements en maudissant ma lâcheté.

Celui qui devait partager ma vie ne m'avait pas prévenu qu'il avait déjà signé un bail à l'église avec une autre femme, rentière, qui assumait son train de vie.

Encore une fois, je l'ai écouté, il m'aime, je suis son horizon, sa vie... Des promesses auxquelles j'ai cru.

J'ai rendu les clefs de ma boutique pour ne pas les mettre sous la porte... Fixé un écriteau sur lequel j'ai écrit quelques mots sous forme d'adieu. « Les fleurs fanent, et renaissent parfois, je ne vous oublierais pas ».

La vie nous donne des capacités. Pour ma part, c'est l'oubli des rancœurs ! Lorsque je suis arrivée à Lomener, il n'y avait pas de pavillon et encore moins de jardin, juste un deux-pièces au rez-de-chaussée, et un dingue qui venait de temps en temps encaisser ses loyers qu'il consommait sur place...

C'est aussi là que j'ai rencontré Mme Latouche et Mr Lecat, sûrement à l'écoute des scènes de ménage mais qui me saluaient au matin comme si rien ne se passait... J'ai appris à maquiller mon visage plus que d'habitude pour estomper les bleus bien visibles, les autres blessures ne se voyaient pas, elles étaient internes.

« La violence du silence ».

Le silence justement… Le téléphone qui sonne, impatient l'interrompt. En décrochant le combiné, je reconnais la voix de mon ex-femme, la conversation en demi-teinte, la même voix tendue que lors de son dernier appel, toujours en apnée et débit long.

Elisa, Elisa, Elisa, ! Cherche-moi des poux, Enfonce bien les ongles,

Et tes doigts délicats dans la jungle de mes cheveux...

C'était il y a bien longtemps, je ne pouvais m'empêcher alors de chantonner à son oreille, mon Elisa...

On a passé une demi-heure à parler, elle s'est encore raconté, son boulot, ses vieux, puis sa voix à repris de l'assurance pour me demander de ramener les enfants.

Comme ça, sans préavis, vous avez été l'heureux papa de deux adolescents pendant deux mois, et maintenant veuillez passer à la case départ pour les déposer et continuer votre chemin :

Il n'y a plus rien à voir...

« Un homme, ça pleure pas », dis-je en essuyant furtivement ma joue... Pendant des années, mon père me le répétait, comme une litanie... Et dès que j'ai eu des moments d'émotions que je ne pouvais contenir, j'entendais sa voix, obsédante, « Un homme, ça pleure pas ». Comme cette pub qui revient en boucle « Arthur c'est pas Versailles ici... »

Je jetais un coup d'œil sur le téléphone qui venait de s'éclairer, la mouette étant partie chier à la côte, comme on disait.

Mon géant blond avait la voix très énergique aujourd'hui, je pensais que nos soirées lourdement arrosées ces derniers temps l'avaient fatigué.

« Du nouveau pour nous ».

« Vas-y je t'écoute ».

« Tu sais, Alvarez a été coffré ».

« Ben oui, les généraux nous l'ont dit »

« Et bien, accroche-toi ».

« Vas-y accouche… Ne me laisse pas languir ».

« Il était pas en France le matin du 27 ».

« Je comprends pas » !

« T'es sourd ou quoi ? Il n'était pas en France à la date présumée de la mort, par contre on ne sait pas combien de temps a duré son séjour en Belgique ».

« C'est pourtant bien le soir du 27 qu'il a fait la déclaration ».

« Il était peut-être rentré pour le soir, mais ce n'est pas lui qui l'a poussée, il a été vu par les caméras à 7 heures du matin dans un parking, à Ixelles… À moins de prendre un avion supersonique ! »

« Drôle… Ah merde, notre coupable s'envole ».

« Ben oui… On peut donc reprendre à zéro, c'est le chef qui me l'a confirmé ».

« Pourtant, il m'a dit dans sa déposition qu'il y était le 23 et le 25, il devait bricoler chez sa locataire ».

« Il y est allé pour la journée peut-être ».

« Pas faux ».

J'ai essayé de réfléchir quelques instants, c'était peine perdue, je remets la cogitation à plus tard, lorsque mes neurones seront opérationnels ce qui n'est pas le cas pour l'instant.

« On pourra l'interroger quand même ? »

« Non je ne crois pas, ils n'ont pas encore démantelé le réseau, en fait Alvarez c'est un minable, un passeur ».

« Il allait chercher la drogue, et parfois même utilisait des mules ».

J'ai alors pensé à Marie, lors de l'identification il avait été fait état d'une toxicomanie, son corps servait il de cachette ? Était-elle consciente ? Avait-elle voulu fuir cette vie de paumée ?

Quelle était bien loin l'autre Marie, la petite fleuriste du Bois du Château, amoureuse, midinette et pleine de vie.

Le chinois a rouvert ses portes et je me suis attardé devant la vitrine, j'ai d'abord pensé ramener des nems à la maison pour un petit diner d'adieu, mais presque malgré moi, j'ai dépassé la boutique en ayant devant les yeux l'image d'un pangolin sur un étal de marché.

La lobotomisation programmée par BF Merde avait bien fonctionné ! Victime de l'intox.

À cet instant, j'ai compris que le mal était profond et qu'il faudrait du temps pour retrouver la raison.

C'est donc avec un sac rempli de hamburgers que j'ai franchi le pas de mon appartement sous le regard surpris de mes deux oiseaux.

« Il va falloir refaire votre valise, je vous ramène dimanche à Lyon ».

Je ne sais pas si j'attendais une réaction, mais ils ont baissé la tête, en même temps, peut-être un peu peinés d'écourter ce moment de parenthèse. C'est du moins ce que j'ai voulu penser…

« Tu m'as pris quoi ? Un cheese, un bacon ? »

« Je ne sais pas, c'est tous les mêmes ».

On est resté un peu silencieux, et finalement c'est vers la télé qu'on a fini la soirée en écoutant les savants se masturber le cerveau sans pourtant grande éjaculation de matière grise…

Je leur ai promis d'aller voir leurs grands-parents demain, car leur dernière rencontre remontait à très loin. Nous n'étions jamais revenus ici, c'étaient mes parents qui à l'époque avaient fait le voyage pour les rencontrer.

Les familles d'accueil avaient été les seuls repères de ma jeunesse, j'ai arrêté de les compter lorsque j'ai compris qu'elles ne me garderaient pas.

Souvent, j'avais d'autres frères et sœurs d'infortune, chacun trainant son passé comme un prisonnier traine son boulet, des histoires de vies que l'on ne raconterait pas le soir au coin du feu, travestissant sans cesse la vérité pour se parer d'une vie qu'on aurait préférée.

« Est-ce que les gens naissent égaux en droits » ?

Ce soir, j'ai posé le manuscrit sur la table de nuit, mes yeux n'arrivant pas à déchiffrer les caractères qui dansent devant moi.

« Tu veux du café papa ? »

Et ben ça c'est du réveil… J'en connais deux qui sont pressés de faire leur première vraie sortie.

Mes parents ont été très surpris hier, déjà de m'entendre, car depuis le début mars j'étais à Lorient, et je ne les avais pas encore appelés, et surtout je n'avais pas été les voir, ils allaient avoir 74 et 75 ans.

De savoir que je venais avec les enfants, ça les a chamboulés, j'entendais ma mère qui riait.

« Les paroles des pauvres gens » Comme chantait Léo Ferré, surtout ne rentre pas trop tard, ne prends pas froid…

« Vous voulez manger des langoustines avec une mayonnaise maison, parce qu'il faut acheter la pêche… Il n'y a personne qui va à la criée, ils vont en jeter des tonnes ».

La voiture a toussé au démarrage, c'est jamais bon la mécanique lorsque l'on ne s'en sert pas, J'ai longé la grande rue et me suis arrêté avenue de la Perrière.

« On fait quoi ? »

« Je voudrais vous montrer quelque chose ».

« Ben quoi » dit Malo ? « On va pas chez papy et mamy ? »

« Non, pas tout de suite ».

Le port est désert ce matin, on aurait pu penser qu'après avoir rongé son frein pendant deux mois la foule des grands jours se promènerait… Ben non.

J'avais eu peu de temps depuis mon arrivée à Lorient pour retourner dans ce quartier que j'adorais arpenter lorsque j'étais enfant.

La rue Florian Laporte, une rue qui descend sur des friches, premier arrêt au numéro 2, un Galion qui s'endort aux premières lueurs de l'aurore, bistrot sans doute, et peut-être un peu plus, underground sûrement, sombre comme un clair-obscur.

Un peu plus bas, l'association « Lieu noir, Lieu jaune… » On pourrait dire en voyant ces containers qu'un poisson nommé Wanda pourrait y séjourner, mais c'est un autre poisson répondant au nom de Cathy qui sème des graines de culture, favorisant ainsi les rencontres artistiques.

C'est à l'intérieur du container que se poursuit la visite, les cartes marines qui tapissent les murs sont toutes habitées par d'étranges silhouettes de marins voutés. Ils semblent avoir posé leur sac de matelots sur une gamme d'échelles.

Leurs marinières délavées semblent porter des bras au bout desquels la pêche du jour swingue.

Ces visages barrés d'un nez, où les yeux et la bouche ont déserté, ne manquent pas d'expression et résument à eux seuls la dureté du métier de pêcheur : Une ride épaisse qui sépare le front en deux et des mains à bouffer du hauban.

Longitude fatiguée par une certaine attitude, latitude qui se dessine et s'en va de côte en côte.

Thon sur ton… La bande-son qui porte la voix rauque de Mickaël Yaouank, imprime de son empreinte l'hommage aux gabiers complétant ainsi l'ambiance des lieux.

Ma fille Océane, adepte de dessin et de collage papier, ne peut s'empêcher de sonder chaque coin de la pièce.

De nombreux morceaux de bois usé par la mer expriment leurs histoires que l'artiste a voulu raconter, histoires de mer, de pêche, chaque bois est une toile qui permet ainsi des reliefs hasardeux.

Elle a un joli sourire l'artiste, celui qui fait autant de bien qu'un chocolat chaud dans la période hivernale.

Pas de mots, pas de dialogues, juste son sourire qui nous accompagne jusqu'à la sortie.

Nous arrivons enfin vers les hangars. Les graffs ont effacé la laideur des façades, illuminant cette zone désaffectée, le gigantisme des dessins jouxte des silos… Ici, nous sommes ailleurs…

« Ezra et Kaz » sont des artistes de rues, ils signent leurs fresques fantasmagoriques proposant un monde apocalyptique. La préhistoire aime côtoyer les muses. Belle prévision d'un monde qui se meurt ? Et pour mieux renaître l'art s'est emporté en cherchant refuge dans la mémoire de l'appareil photo.

« À quelle heure devons-nous aller chez Papy et Mamy ? »

« Pas avant 13 heures, Mamy voulait aller sur le port pour chercher du poisson »

« J'aime pas le poisson », a lâché Malo… visiblement peu enclin à l'ouverture dans le monde artistique.

Nouveau décor, nouvelle ambiance, ici ça bouge un peu plus. Le va-et-vient des skippers sur les pontons encombrés. L'odeur des vernis flotte sur le port, certains calfatent, d'autres ravaudent, maniant l'aiguille à la manière d'une dentellière.

Les marins qui ne connaissent que des horizons sans cesse renouvelés ont dû s'astreindre à vivre ce que les communs des mortels ont vécu, *#Restezchezvous*...

Pourtant l'incompréhension règne. Ne pas pouvoir naviguer lorsque l'on est seul sur son bateau, sur l'océan... Comme si le virus t'attendait au détour d'une vague et ses petites gouttelettes viendraient se percher sur ton nez.

L'impatience est perceptible dans ce remue-ménage.

Malo ouvre de grands yeux en passant devant les catamarans... Rotchild, Groupama, des noms prestigieux qui s'étalent sur un cul majestueux.

Tout est concentré de technologies qui n'ont d'autre d'objectif que de dompter la grande bleue, et d'aller chercher encore de nouveaux records que les marins de tout temps ont laissés en héritage.

Un guide conférencier accompagne un groupe et raconte l'histoire de ce lieu à grand renfort de gestes, la passion l'anime et capte son auditoire. Nous profitons clandestinement de ces explications avant de remonter sur le quai.

Le visage de Tabarly veille sur ses penduicks du haut de la fresque qui surplombe la cité, celle qui porte son nom. Ici, chacun est un grand coureur devant l'éternel.

Putain que le temps file ! Depuis notre première vraie balade, le repas chez les grands-parents et nous sommes déjà mardi. Enfants raccompagnés non sans une grande nostalgie, le commissariat a repris son activité et la valse des masques séquence l'accueil.

Ange est absent ce matin et je décide donc de continuer à interroger d'éventuels témoins.

« Mme Latouche, retraitée de l'éducation nationale, sans histoires, participe activement à des animations d'ateliers d'écriture. »

« À Lomener, certains racontent qu'ils ont eu un enfant, mais l'ont abandonné, les femmes qui vivent seules ça éveille la curiosité, et parfois on leur invente même une vie, c'est vrai que ça fait déjà longtemps que son mari est décédé… C'était une belle femme disait-on, mais il y a bien longtemps ».

La commère du coin continue son récit. Heureuse d'avoir de l'auditoire, je vois bien qu'elle recharge son venin, et que la prochaine salve va être encore plus violente…

« Puis y a Gervais, il est tout le temps fourré chez elle, il l'aide à monter les courses chez le vieux du haut… On se demande même… »

D'un air renfrogné, je lui ai dit.

« Arrêtez, merci, je ne veux pas des cancans, ce n'est pas parce que je suis flic que je suis con, je ne vais pas écouter autre chose que des faits, madame ».

« Bon ben la Marie, elle allait chez la Latouche pour écrire, ce n'est pas malheureux à son âge de ne pas savoir écrire ?

Alors l'instit elle savait tout sur la petite, elle avait été fleuriste au Bois du Château, et s'est encanaillée avec son propriétaire.

Gervais aussi il allait chez elle, je me demande même si… »

« Stop, c'est bon je vous ai demandé des faits ».

Avec son fichu sur la tête et son tablier à carreaux, elle ressemblait à une sorcière, le poil sur le menton vrillait au rythme de ses paroles, le regard aiguisé où brillaient des yeux noirs jais, les seins qui lui arrivaient sur le ventre et pour compléter le tableau, des bas qui retombaient en accordéon sur ses sabots.

Je n'arrivais pas à me détacher de ce poil et une irrésistible envie de rire me tordait les entrailles…

« Merci… Au fait, c'est quoi votre prénom ? »

« Adélaïde, pour vous servir monsieur le commissaire ».

« JE NE SUIS PAS COMMISSAIRE » !

Les cafés n'avaient pas encore ouvert et restaient soumis à l'interdiction en attendant que les protocoles soient envoyés par la préfecture, mais néanmoins, sur la terrasse du Moulin Bleu, un homme sirotait un café.

« Bonjour. » J'ai demandé si on pouvait consommer ici ?

« Ben non vous voyez bien… Sinon ma terrasse serait déjà remplie à cette heure-ci ! »

Il n'a pas l'air en forme le gazier...!

« Trois mois, presque quatre sans chiffre d'affaires, vous croyez que le propriétaire des murs il me fait cadeau du loyer. »

« Oui » et j'ai rajouté pour lui témoigner de ma solidarité, « Je vous comprends ».

« Le gouvernement a beau dire, mais nous on est des petits commerçants et on se démerde, l'assurance dit qu'on n'a pas la clause COVID.

Je n'ai pu qu'approuver en dodelinant du chef, c'était imparable…

« Et pourtant on a le droit d'aller voter… Avec des précautions… Moi aussi je peux servir à manger avec précautions. Mais non ».

Je pense que ma mine consternée l'a surpris, il s'est arrêté de causer.

« Excusez-moi, je m'emporte, ma femme me dit que ce n'est pas bon ça fait monter la tension »

Je me suis donc présenté, et ai expliqué ma présence.

« Pauvre Marie. J'ai vu ça dans la presse, elle avait pourtant peur de la mer, elle ne savait pas nager ».

J'avais déjà entendu ça auparavant, et c'est aussi pour cette raison que je ne croyais pas à un accident, après tout le rapport d'autopsie disait « Pas de traces de violence… »

« Gentille, serviable, une fille qui aimait à rire et les clients ils adorent ça ».

« Elle vivait avec Alvarez ? »

« À la petite semaine comme on dit chez nous ».

« Vous croyez qu'il aurait pu la tuer ? »

Il s'est arrêté réfléchir… Se torturant la lèvre inférieure, comme pour retenir les mots.

« Pour la frapper, oui il savait faire, on la voyait souvent avec des bleus, la tuer…

Je ne sais pas ».

J'ai donc repris :

« Donc tout le bourg savait qu'il la tabassait ? »

« Oui ».

Ce oui qui résonne comme un aveu. Marie…

« Vous n'avez rien remarqué le 27 février au matin ? »

« J'aurais dû ?".

« J'ai reçu un appel anonyme il y a quelque temps, mon interlocuteur m'a informé avoir vu un homme pousser Marie sur la digue. »

« Pourtant, le jeudi j'attends ma sœur qui vient envoyer le poisson vers 8 heures du matin, et j'étais sur la terrasse… D'ici, on voit tout ».

« Alors vous n'avez rien remarqué ? »

« Non, mais je guettais la route, pas la mer, mais maintenant que vous me le dites, j'ai aperçu Gervais vers la crêperie, j'ai même trouvé ça étrange, il est un peu simplet et le matin en général il reste dormir ».

« Rien d'autre ? »

« Non, Mme Latouche qui revenait de la digue, c'est là qu'elle a jeté les cendres de son mari, elle y va pratiquement tous les matins de bonne heure ». Puis il a rajouté :

« Les mouettes sont énervées aujourd'hui ».

Merde mon téléphone....

« Ange, oui ce midi si tu veux ». « Je suis à Lomener ».

J'ai remercié le taulier, lui ai souhaité une prompte ouverture et ai repris le chemin du parking.

En attendant mon partenaire, je me suis replongé dans mes souvenirs.

Après avoir déambulé à la cité Tabarly, c'est non sans émotion que j'ai repris le chemin Zanflamme pour montrer aux enfants les lieux de mon enfance, face au chantier Dubosc… Tout était resté dans son jus, sauf peut-être le magasin d'accastillage et la réfection des hangars.

À cette époque, la voile ne connaissait pas encore cet essor technologique et nombreux étaient les navigateurs en herbe qui retapaient des vieilles coques, et parfois les fabriquaient entièrement, ainsi dans certains jardins on pouvait voir des bateaux éclore, à la place des iris.

À gauche du bâtiment, un slip waw, c'est ici que j'avais assisté à plusieurs mises à l'eau, bateaux en alu, en polyester et même un bateau en ferrociment, qui malheureusement a fini sa course au fond de l'eau, noyant aussi les rêves d'une vie…

J'avais également aidé celles que l'on appelait « les deux filles », elles avaient troqué leur costume de midinette pour revêtir la vareuse du matelot, un rêve de tour du monde à la voile chevillé au corps.

Nous sommes à présent à « L'anse de Zanflamme » il n'y a pas grand monde qui connaît ce nom, et pourtant, célèbre par ses algues vertes et sa vasière, elle se situe entre le port du Kernével et longe le chantier jusqu'à la grande surface du coin.

« On y va papa, mamy doit nous attendre ».

J'ai revu mes parents, sans tambour, ni trompette, juste un sourire qui en disait long.

Mon père plus lent dans la marche, arborant une belle crinière que le temps a poudré d'argent tandis que ma mère toujours aussi active dans sa cuisine dévore du regard ses petits-enfants déjà devenus grands.

La demoiselle dans l'assiette n'a pas fait long feu, depuis le temps que je n'avais pas mangé des langoustines, faut dire qu'à Lyon, on n'en avait pas envie, on les a toujours vus frétiller en Bretagne.

Alors on a parlé encore et encore, se raconter en deux heures ce qu'est une vie passée loin de ceux qu'on aime, se promettre de ne plus attendre pour se voir, et se dire des mots simples et doux comme des caramels au lait.

Le cœur lourd, ils ont enfin dit au revoir, essuyant discrètement une larme qui n'en pouvait plus d'être retenue.

Je n'ai pas pu m'empêcher crier à mon père par la fenêtre, « On ne pleure pas », mais ma voix s'est perdue dans le bruit du moteur.

La silhouette d'Ange est venue me faire de l'ombre, interrompant ainsi mes pensées toujours aussi vagabondes.

« Déjà revenu de Lyon ? Puisque tes enfants sont rentrés, on pourrait à présent se faire une soirée garçon ? Non ? »

« Oui, ça va me faire du bien, pizza et bière »

« OK, je passerai à vingt-deux heures, ce soir ? »

« Oui, le temps d'aller faire quelques courses ».

« La route n'a pas été trop longue pour aller à Lyon ? »

« Non, moins que la première fois, la vie reprend progressivement ».

« Et ton ex- femme ? »

« Toujours dans le virus, elle me disait qu'à l'hôpital c'était pire, à l'Ephad elle n'a pas eu à fermer les housses ». C'est ses collègues de l'ARS qui l'on fait, même mort t'es contagieux.

Donc ses p'tits vieux comme elle dit, elle les a vus dans de beaux vêtements, le visage reposé, comme endormis pour une grande nuit sans fin ».

Ange a perdu sa bonhomie en quelques instants, il m'a regardé le regard voilé, et a lâché dans un souffle.

« Ma femme elle l'a fait… Et pas toujours avec des housses, lorsque ça a manqué de matériel c'est dans une simple bâche que le corps était glissé…

Un long silence a suivi, chacun de nous deux se demandant quand on en verrait la fin.

« Tu penses quoi de l'enquête ? »

« Jamais vu ça, j'ai l'impression que ça n'avance pas ».

« Faut dire qu'on est au point mort là ».

« Tous sont unanimes pour qualifier Marie de gentille, par contre son Alvarez personne ne peut le voir, mais il a un alibi béton… Un témoignage de la police belge… »

« Encore là lui ! ».

En me retournant, j'ai vu détaler Gervais, il suivait Mme Latouche comme il aurait pu suivre sa mère.

« Gervais… GERVAIS », j'ai gueulé.

« Oui commissaire »

« JE NE SUIS PAS COMMISSAIRE… »

« Oui monsieur ».

« Pourquoi vous fuyez dès que vous m'apercevez ? »

« J'allais aider Mme Latouche ».

« Et quand vous allez l'aider, vous partez en courant, c'est drôle comme manie non ? »

« Avez-vous de la famille ? »

« Non, oui ».

« C'est oui ou c'est non ? »

« Euh ».

« Je vais être plus précis, avez-vous un père ? »

« Mort ».

« Avez-vous une mère ? ».

« Morte ».

J'ai radouci le ton de ma voix, pauvre garçon, il commençait à me paraître sympathique malgré tout…

« Vous étiez jeunes lorsqu'ils sont morts »

« Jeune oui ».

« Et alors qui s'est occupé de vous »

« On m'a placé, et ils ont dit que j'étais méchant ».

« Qui ils ? »

« La famille qui voulait m'adopter »

« Ils avaient des enfants déjà ? »

« Non, c'était eux les méchants, ils me faisaient du mal, et après lorsque j'ai grandi je suis parti… »

« Gabriel » m'a dit Ange

« Oui »

« Tu fais une psychothérapie là ? »

« Merde tu as raison ».

« Gervais » a repris Ange.

« Oui commissaire ».

« Je ne suis pas non plus commissaire, est-ce que tu l'aimais Marie ? »

« Oui, j'aimais beaucoup Marie, elle était gentille ».

« Elle était comme toi une fille de l'assistance publique ? »

« Pas tout à fait, c'est pour ça qu'on s'aimait bien, moi j'ai eu des parents, mais ils m'ont lâché après »

« Tu l'aimais assez fort pour lui faire des bisous ? Et peut-être tu as dormi avec elle ? Elle était très belle Marie ! »

Et là, Gervais nous a répété les plombs, tournoyant comme un damné sur le pavé en me disant

« Oui, j'ai téléphoné au commissaire pour raconter… Oui c'est moi, tout seul, j'ai dit… »

C'est Madame Latouche qui assistait à la scène qui l'a calmé, elle l'a pris contre lui en chantonnant.

La brume a commencé à tomber, comme ça, sur l'eau d'abord et ensuite autour de nous, me provoquant un frisson que je n'ai su réprimer…

De toute façon, on n'en tirerait rien de plus ce soir, alors on a fait demi-tour non sans avoir lancé à la cantonade…

« À bientôt ».

Puis je suis rentré chez moi, surpris par l'absence qui n'en finissait pas de résonner dans l'appartement…

Depuis que je suis à Lomener, j'ai fait de jolies rencontres… L'institutrice tout d'abord, elle aime les mots, et sait les broder, les ciseler, on dirait qu'elle les connaît tous, certains mots que je n'ai jamais entendus et dont j'ignore même le sens.

Elle anime des rencontres et organise ces fameux ateliers.

C'est comme ça qu'on a sympathisé… Elle m'avait fait écrire une lettre que je devais adresser à mes parents… Je lui ai dit que je n'en avais pas et elle m'a répondu de faire comme si… Ou de les inventer.

Lorsque j'ai accouché de mon premier texte, j'ai pleuré pendant deux longs jours, comme si la délivrance avait fait suer toute l'amertume qui me bouffait….

Elle a fait comme si de rien n'était, pas dit un mot, et m'a demandé quelques jours plus tard de transformer ce texte en une notice explicative d'un appareil électroménager !

J'ai trouvé ça étonnant… Mais c'est grâce à cet exercice et d'autres que j'ai moi aussi appris à jouer avec les mots, les détourner, les confronter…

Elle est très secrète, dit n'avoir jamais eu d'enfant, avoir vécu heureuse malgré tout, même si la mort lui a arraché celui qu'elle aimait le plus au monde.

Je ne lui disais pas que j'écrivais déjà, je fais toujours attention à ne pas trop me raconter.

J'ai malgré tout trouvé un jour chez elle un album photo ou l'image d'un bel ange blond garnissait toutes les pages… Je n'ai jamais abordé le sujet de ma découverte avec elle.

Voilà donc comment j'ai commencé à mieux écrire, partout, tout le temps, sur un dessous de bock de bière, sur une nappe en papier, et dans ce journal qui se prend pour un roman.

C'est également chez elle que j'ai fait la connaissance de Gervais, pauvre garçon, on a la même histoire, mais lui, il a oublié de grandir, l'amour qui lui a manqué l'a privé de bien des facultés... Je ne sais pas à quel moment de son enfance il est resté. Son visage est lisse, tellement lisse que ça le rend bizarre.

Avec Gervais, il faut montrer les limites, il est tellement reconnaissant lorsqu'on s'occupe de lui qu'il pourrait avoir des gestes brusques. Un jour, il m'a serré si fort que je ne pouvais plus respirer et il ne comprenait pas que je lui dise d'arrêter... Mourir d'amour, j'ai bien cru ce jour-là que c'était mon dernier jour.

Les yeux rougis par la lecture, j'ai posé mon livre, non sans mal, puis je me résonnais, la journée qui m'attendait le lendemain allait sûrement être pénible.

Nous serions le 28 mai, et le chef nous avait prévenus que la fonderie de Bretagne risquait de fermer ses portes, Renault ayant décidé de supprimer des sites en France…

Nous devons donc être présents et nombreux, car la tradition de la SBFM a perduré, et d'après mes collègues leurs manifestations sont assez spectaculaires…

Ils sont reçus à la maison de l'agglomération pour rencontrer les élus, ils veulent sauver l'emploi....

Un de mes oncles y avait travaillé, et me racontait le souffle brûlant de la forge, la dureté de ce métier, et les magnifiques mains d'or de ses ouvriers.

Ce même oncle m'avait demandé si je connaissais « La rue sans joie », et lorsque j'ai répondu par la négative, il m'a raconté l'histoire de cette rue que seuls les fondeurs de Caudan peuvent connaître.

À côté du grand bâtiment-usine, il y avait un autre hangar que les ouvriers n'aimaient guère, et lorsqu'ils devaient travailler à l'intérieur et traverser, ils affichaient une telle tête triste que la ruelle qui les y menait fut baptisée ainsi…

On a le COVID, et en plus les boites profitent de cette crise pour foutre les salariés dehors, décidément 2020 !

Ce matin en me levant, j'ai trouvé au pied de mon lit un article de journal jauni, comment c'est arrivé ici ? J'ai déplié le papier et lu le gros titre :

RELAXÉE, la veuve noire accusée d'avoir tué les amants maudits a pu prouver qu'elle n'était pas responsable de la mort de son mari et de sa maitresse…

Alors que Monsieur S se trouvait à bord d'un cabriolet en compagnie de sa maitresse, ils ont été percutés par un autre véhicule et ont fini leur course dans un profond ravin.

Le véhicule s'est enflammé, personne n'a survécu, on a retrouvé à l'arrière un siège auto, mais on n'a pas retrouvé d'enfant dans l'habitacle calciné.

Un témoin avait eu le temps de noter la plaque d'immatriculation, et de voir une femme au volant.

D'après les éléments de l'enquête, les soupçons se sont portés sur l'épouse trahie et cela a abouti à une garde à vue prolongée.

Son avocat l'a fait sortir en présentant le témoignage d'une de ses amies qui a certifié qu'à l'heure dite, elles étaient ensemble, et que le véhicule avait fait l'objet d'une déclaration de vol.

Un article de 1992, issu du journal le Provincial, déjà 28 ans.

J'ai retourné le journal dans tous les sens pour y trouver une annotation ou autre, mais rien… J'ai alors pensé à Océane, elle avait dû le laisser trainer, elle en utilisait beaucoup pour son scrapbooking.

Finalement, je l'ai posé sur ma table de chevet, en me disant que la même mort aurait pu m'arriver lorsque j'ai trompé Elisa… On vit dangereusement…

Je ne verrais pas Ange, il est parti souffler avec sa femme, les plaisanciers ont offert au personnel de l'hôpital un week-end de croisière, afin de les remercier pour leur courage en plein cœur de l'épidémie.

J'espère que ce géant va penser à se baisser, faudrait pas qu'il prenne un coup de bôme, à cette idée je pars d'un éclat de rire… Pauvre Ange…

Faut dire que notre soirée avait été mémorable, comme les retrouvailles de vieux copains, j'avais complètement oublié que je l'avais invité le jour même, j'avais même déjà repris ma lecture et lorsque vers 22 heures je l'ai vu débarquer, je me suis confondu en excuses, vite oubliées… Tant pis pour la pizza !

On a fait comme les vieux marins, rempli nos verres de rhum ambré et guetté la marée basse qui appelle une nouvelle rasade, chanté des rengaines et à la fin entendu l'accordéon du vieux Jo… Alors avec la soirée qu'on avait passée et le mal de mer, le baptême de l'eau allait être compliqué pour Ange.

Réveil douloureux aussi pour moi ce matin, il fait un peu frisquet ce matin, La goutte froide a dit « monsieur météo ».

J'ai passé le reste de la matinée sur des dossiers à archiver, et à prendre des plaintes… Le côté du métier qui me plait le moins, essayant de donner du rythme à mes deux doigts qui cherchent désespérément la logique du clavier azerty.

Le dé-confinement se poursuit à grands pas, l'été arrive tranquillement, que penser de la situation qui n'a pas l'air de s'arranger ? Les incivilités et la violence reprennent aussi, sans respect du calendrier…

J'ai pourtant entendu ce matin qu'on avait retrouvé des traces de COVID dans les eaux usées à Paris, comme au début de cette crise… J'ai alors souhaité de tout mon cœur que ce virus disparaisse comme il était arrivé, et que chacun reprenne sa vie.

Ce matin, 8 juin, le reste de la bande d'Alvarez est tombée, à la tête un jeune chinois qui sévissait tranquillement depuis quelques années… Affichant sans complexes des voitures de luxe sur son compte Facebook, à la vue et à la face de tous… Pignon sur rue, commerçant à ses heures.

Lorsque j'ai vu toute la brigade en branle-bas et que j'ai eu vent de l'intervention faite sur Ker fichant. Je me suis senti exclu, on bosse tous ensemble, mais on ne parle pas de nos opérations, on parle du week-end, ça détend… J'aurais bien fait la descente moi… Les dealers j'aime pas ça !

Alors, j'ai repris mon travail d'archive, recherches en date du 15 novembre 1938… On me fait travailler pour le siècle dernier.

Mais en même temps, je suis contrarié par cette situation, je fais contre mauvaise fortune bon cœur…

Après avoir consulté un nombre incalculable de fichiers, les avoir indexés, datés, un titre attire toute mon attention :

« Meurtre à Quelisoy », à la lisière du bois de Kermélo, macabre mise en scène, dans une maisonnette… Avant d'être pendue, une femme avait été frappée à mort.

Ce n'est pas loin de là où j'ai habité, je continue la lecture de l'article… Ainsi je découvre l'affaire de Vincent Le R. Marbrier de son état, marié avec Marie, décidément… Quel hasard...

Je n'en reviens toujours pas, le détail est croustillant, elle était alcoolique et faisait subir à son mari le pire des traitements, il a souffert pendant 20 ans.

Au procès d'assises, tout juste si on ne lui a pas donne pas la Légion d'honneur à ce coupable. Pour avoir supprimé sa femme, et la belle-famille ayant déjà pardonné, 2 ans de prison, pas cher le prix d'une vie… Heureusement, la justice a évolué depuis 1939.

Mais je reste perplexe sur ce travail des archives, je me demande même si je ne suis pas placardisé…

L'affaire Alvarez, confiée à la gendarmerie de Pont-Scorff et aux stups, la prise de déposition dont j'ai été évincé, et maintenant je me tape des archives qui datent de Mathusalem…

Intrigué, je cherche le nom du gars en question sur Internet et là je tombe sur le site de la ville de Larmor-Plage et je découvre l'affaire de Vincent Le R… Pris d'une rage folle je monte à l'étage du commissaire Le Du…

La voix puissante m'invite à entrer.

« Je t'écoute Leroux. »

« Vous avez un problème avec moi commissaire ? »

« Si j'en avais, j'aurais pas attendu pour le dire » ! « VIENS-EN AU FAIT ».

Vlan, ambiance…

« Vous m'avez collé aux archives »

« Et ? »

« Il se trouve que vos archives, elles sont déjà classées !... »

« Tu peux t'expliquer ? »

« J'ai été voir sur Internet pour vérifier si les dossiers étaient en libre accès, donc indexés, et ça a pas loupé. Sur le site de la mairie de Larmor-Plage... »

« Leroux ? Vous ne savez pas faire la différence entre un rapport de police et un article de presse ? Si vous souffrez du syndrome de la persécution, faut vous faire soigner ! »

Oups, en colère le chef, il est passé du « tu » au « vous »...

« J'ai trop peu d'ancienneté ici pour me sentir à ma place et utile » J'ai rétorqué voulant lui tenir tête.

« Mon petit Leroux... VOUS ME FAITES CHIER... Allez au taf, si vous faites ce boulot c'est qu'il faut le faire, et vous êtes la personne pour le faire » « Rien d'autre ? »

« Je voudrais avoir aussi le temps d'achever cette enquête »

« Oui, continuez vos interrogatoires, mais évitez de mêler Alvarez à ça, on ne marche pas sur les plates-bandes de nos collègues ».

« Oui, je sais, mais c'était lui mon coupable, et donc je recoupe, j'écoute et j'espère bien être sur une piste... Gervais sûrement, l'histoire sordide d'un pauvre type qui s'amourache d'une femme et qui la flingue car elle ne veut pas de lui ! Il sera relaxé et devra faire l'objet d'un suivi psy... »

« Ben voilà, votre scénario est écrit, reste plus qu'à mettre en place des éléments tangibles... Du factuel Leroux ! »

« OK chef »

« Leroux ? »

« Oui »

« Je vous concède que jamais en quarante ans de carrière je n'ai eu à résoudre d'enquête dans ces conditions... »

Je suis resté coi sur le pas de la porte, me demandant s'il faisait encore de l'esprit ou si vraiment il comprenait mes difficultés ! J'ai opté pour la deuxième option.

« Merci chef ».

« Leroux ? »

« Oui »

« N'oubliez pas que tout à l'heure nous allons à la maison de l'agglo »

« Non chef ».

J'avais bel et bien oublié la venue des salariés de la fonderie.

Ce bâtiment vitré du péristyle regroupe quelques centaines de fonctionnaires, il a été imaginé pour rassembler les différents services de l'agglomération de Lorient.

La silhouette à échasse se voulait suspendue entre terre et mer, imaginée par deux architectes bordelais, je ne peux m'empêcher de penser que l'argent public est parfois bien mal utilisé…

Je ne lui trouve rien d'attrayant et Ange m'a raconté les tribulations de cette construction…

Les fenêtres avaient fait l'objet de moqueries, on ne pouvait pas les ouvrir et les sous-sols par gros temps prenaient des allures de piscine… Comme la nouvelle gare d'ailleurs…

Ils sont déterminés les fondeurs, la veste de travail et le visage fermé, les yeux cernés par des nuits de veille, rejoints par les syndicats et leurs drapeaux.

Rapidement, le parking s'est transformé en piquet de grève, et alors que les responsables discutaient avec les élus, le reste de la population attend leur retour.

De temps en temps, une grosse voix crie, reprise par tous.

« Libérez nos camarades ! »

La horde de journalistes traque ici et là un témoignage, une larme… Les conversations vont bon train, et tout y passe, le groupe Renault, les dividendes faramineux, et même l'évasion du PDG qui a défrayé la chronique en s'échappant dans une malle…

Déjà en 2006, les salariés avaient battu le pavé, de Lorient à Vannes en passant par Paris, ils défendaient l'outil industriel comme ils disent encore aujourd'hui.

Et finalement après deux ans de luttes acharnées, ils ont abouti aux revendications et le groupe Renault a enfin repris le site.

J'avais entendu parler de cette histoire, car à l'époque tous les médias s'en étaient fait l'écho, mon oncle avait fait partie d'une équipe qui avait organisé un concert de soutien au Parc des expos, plus de 5000 personnes étaient venues applaudir Bernard Lavilliers, Michel Tonnerre et Yvan le Bolloch, sans oublier d'autres groupes locaux tels que le « Pouls qui débat… » « la Belle Deuche ».

Un évènement dans le pays de Lorient, et des artistes engagés qui s'étaient déplacés bénévolement afin de défendre la cause…

Je présumais donc que si une solution rapide n'était pas trouvée, on allait partir sur un conflit qui pouvait durer…

J'avais beau être flic, je respectais ces hommes qui se battaient pour les autres, et lorsque l'un d'eux est sorti et qu'il a pris le micro pour s'adresser aux autres, j'en étais assez ému…

La voix claqua sur le parking, forte, déterminée.

« Il n'y a pas de fermeture de la Fonderie de Bretagne ni de projet de repreneur pour FDB ! Voilà les copains, cette semaine de lutte a payé. C'est grâce à vous ».

Il fallait être de marbre pour ne pas avoir ressenti ce frisson qui a secoué la foule avant que les effusions de toute part libèrent toutes les émotions…

C'était une belle journée, et lorsque j'ai rejoint le poste, Lorient me paraissait jolie, et tellement rebelle !

Après un rapide diner et un coup d'œil sur des infos toujours aussi déprimantes, je m'installai confortablement pour reprendre la lecture de mon best-seller rien qu'à moi…

Du plus profond de mon sommeil j'ai entendu le son vrillant de la sonnette, insistant, persistant, compliqué de se lever… C'est donc en pyjama que je suis allé ouvrir la porte d'entrée.

La boule d'énergie est à présent rentrée.

« Tu m'offres un jus ? »

Je n'ai pas le temps de marmonner un oui que le moulin à parole tourne encore et encore.

« C'était trop top hier, j'ai même tenu la barre, on a fait le tour de l'île de Groix, et j'ai failli nous faire dessaler, j'avais oublié en virant de bord de lâcher une écoute… La voile est partie en live, heureusement que le capitaine avait des réflexes ! »

La tête embrumée comme une pastèque je ne pus m'empêcher de rire…

« Ah oui t'as failli chavirer, et tu trouves ça top… »

« Oui, ça c'était juste pour l'anecdote, mais en fait malgré un temps un peu nuageux c'était une super journée ! »

« Et toi », a-t-il repris aussitôt.

« Une mise au point avec Le Du, une manif, et archivage »

« Mise au point avec Le Du ? »

« Rien de grave, on s'est expliqués, ça va ».

Malgré le temps nuageux lors de sa navigation, Ange avait le nez complètement rougi, j'ai rigolé et lui ai proposé de remplacer le phare de Groix…

La veille, Marie s'était révélée, elle a oublié la narration et employé un ton funèbre dans son récit…

Ma vie ? une succession d'évènements, ballotée dans les méandres du destin, parfois funeste. Jamais facile…

Une funambule essayant de rester sur le fil, tombant, s'accrochant… Le péril comme raison de vivre…

J'aurais voulu, souhaité, naitre insouciante, n'avoir que comme inquiétude la couleur d'une robe à choisir, la salle de sport dans laquelle j'irais m'inscrire, la destination d'un voyage à choisir.

Sauf que l'on ne choisit pas son chemin de vie.

Vouloir la quitter ?

Ces quelques phrases couchées sur le papier blanc ont eu raison de mon moral, avait-elle choisi d'arrêter de se battre ?

Elle avait peur d'aller au bord de la mer, peut-être a-t-elle décidé de faire la nique à son destin ? Elle aurait rangé son appréhension dans un coin, franchi le chemin qui mène sur la digue et se serait alors affranchie de ses liens terrestres… Après tout, l'expertise confirmait la non-violence.

Et si toute cette histoire n'était qu'une histoire comme on en lit tous les jours : La désespérée a mis fin à ses jours… Donnant du crédit à l'adieu griffonné sur un papier trouvé chez elle.

Je n'ai pas fait part à Ange de mes états d'âme, j'ai juste pensé que fatigué, j'avais perdu le sens du jugement et qu'affectivement je m'impliquais trop dans cette histoire.

Pour couronner le tout, hier j'ai eu aussi des nouvelles des enfants, Océane sûrement bachelière, ne se trouvait pas légitime d'après les dires de mon ex-femme.

Contrôle continu... Pas d'oral alors qu'elle s'y était préparé... Et Malo, si les frontières rouvraient partirait en colonie, pas loin de Barcelone...

« Et si on retournait voir Mr Mérou au Kernével, il doit en savoir plus avec l'autre locataire d'Alvarez, tu sais là où ils ont trouvé la came ? »

Avait-il senti que j'avais décroché ? J'ai sursauté au son de sa voix, presque oublié qu'il sirotait son café dans la cuisine.

« Le chef nous a dit de ne pas interférer ».

« On va pas interférer, on poursuit notre recherche de témoins ».

« Oui, » j'ai dit sur un ton manquant de conviction.

Le Capitaine Mérou portait bien son nom, tel un prédateur avec son air renfrogné, squattant le banc couleur sable.

C'était le rendez-vous des anciens, ils se retrouvaient là, causant, des femmes et des hommes, beaucoup d'entre eux avaient élu domicile à la maison de retraite située plus haut, et pour échapper à la tristesse du lieu, venaient prendre une « Bolée d'air » comme on dit ici...

Au milieu de ce petit monde, la tête du Mérou dodeline.

« Capitaine Mérou, quel hasard de vous trouver là »

« Je crois pas au hasard ».

Il avait repris du poil de la bête, le bougre...

« Vous connaissiez donc Alvarez ? »

« Ici, tout le monde le connaît ».

« Et sa femme ? »

« Laquelle ? » Il a répondu devant son auditoire qui s'esclaffait avant de reprendre,

« C'est un pâté de gangster ».

Silence… quelque chose que je n'ai pas saisi sans doute, je regardai donc Ange pour voir s'il avait bugué comme moi.

« Ah, je vois, vous ne lisez pas les romans du coin ».

Et en plus, il nous donnait des leçons de culture…

« C'est un roman qui a été écrit par Ricardo Montserrat ».

« Ah je connais pas ».

« Un roman policier qui parle du boucher charcutier de Groix, Montserrat il a déjà écrit un autre livre avec des chômeurs de Kervénanec, des ateliers d'écriture qu'ils disaient… C'est pour ça qu'on le connaît, car c'est un Chilien, pas de chez nous. »

Puis intarissable il a continué :

« Zone mortuaire, Publié chez Gallimard, oui monsieur, et ben il a fait lire tout le quartier, certains pensaient se reconnaitre dans le livre… »

Ça a fait du bruit ici, même le Canard enchaîné a écrit sur la Clémence, le personnage central, mais ce n'est pas tout et là je vais vous achever, sur l'édition du journal Le Monde du mercredi 14 mai 1997 à la page 7 un grand article raconte une partie de cette histoire »

« Nous sommes impressionnés par votre culture capitaine Mérou, mais ça ne répond pas à ma question »

« Ce n'est pas de la culture, j'ai regardé le reportage de Roger Gicquel à l'époque, et c'est là que j'ai connu toute l'histoire, pour une fois qu'on parle de nous autrement qu'avec l'alcool… »

Les rires ont repris… et enfin il a expliqué.

« Ben Alvarez, c'est comme “le pâté de gangster”, il tue les gens… Il les utilise, les met en boite ».

Bien avancés… On est remontés vers le parking avec l'impression d'avoir perdu notre temps, et avant de retourner à Lomener, j'ai proposé à Ange une petite bibine et un sandwich au bistrot qui avait retrouvé son affluence.

« Point mort, encore une fois ».

Et si Ange commençait aussi à douter, c'était plutôt inquiétant…

Lomener avait repris son air de station balnéaire façon port de pêche, et en remontant sur le front de mer je ne pus m'empêcher de m'arrêter lire la carte du restaurant les vivriers…

J'ai louché sur les menus, la salive montait en bouche, rien que le nom d'un plat était une invitation au voyage culinaire…

J'ai senti la présence d'Ange dans mon cou… Il devait être dans le même état, bref, notre jambon beurre était assez insipide…

On s'est promis, après avoir résolu notre belle équation, d'aller y manger, on dit que la salle de restauration donne sur la mer… Mais la prime que nous a promise le ministre n'est pas encore venue boucher le trou de notre compte en banque… À peine si nos heures supplémentaires avaient été réglées, alors s'offrir un repas ici.

Ah, pas besoin de monter chez Mme Latouche, le hasard nous la place sur notre chemin.

Madame Latouche était vêtue de façon élégante aujourd'hui, petit tailleur à carreaux, chapeau avec de belles cerises pour l'ornement, printanière… Ses talons claquaient sur la route, et chaque personne qu'elle croisait avait pour elle un petit signe de la main.

Connue…

« Madame Latouche, excusez-nous de vous déranger pendant votre promenade, mais je souhaiterais vous rencontrer vers le milieu de la semaine, c'est possible pour vous ? »

« Oui, je suis à la maison le mercredi car j'ai des élèves d'ateliers d'écriture qui viennent travailler chez moi, » Puis d'un air faussement détachée elle a rajouté…

« C'est à quel sujet ? Marie, je suppose ? »

« Entre autres, j'aimerais en savoir un peu plus sur Gervais »

Je l'ai vu s'arrêter net, son visage s'est fermé…

« Vous croyez qu'il l'a tuée ? C'est impossible il ne peut pas faire de mal, s'il y a un coupable c'est bien son proxénète », a-t-elle ajouté.

Je n'ai pas souhaité commenter davantage, le lieu ne s'y prêtait pas et en plus personne ne savait encore que notre suspect numéro 1 était mis hors de cause....

Le temps était clément. Je me suis tourné vers Ange,

« On irait pas marcher un peu ? »

« Si, si tu veux, je ne suis pas attendu ce soir, ma femme est de garde ».

« Tu n'as jamais eu d'enfants ? »

« Non, d'abord on ne voulait pas, mettre des enfants au monde dans cette société, ça nous a fait peur, quel avenir leur offrir ! »

Il a continué sa marche, et a ajouté

« Après on a réfléchi, et on s'est dit qu'on se privait d'une belle histoire, et que d'autres y arrivaient bien… Et là, c'est devenu compliqué. »

Je ne l'avais pas vu souvent aussi grave mon géant blond…

« On a fait ensuite tous les tests, ça ne marchait pas, on est même allés en Espagne pour une FIV, on avait épuisé toutes les tentatives possibles ici, et finalement une fausse couche est venue mettre fin à nos rêves d'enfant »

« Désolé, je savais pas »

« Je sais, je n'en ai jamais parlé au boulot ! »

« On s'est fait une raison aussi, et puis on donne beaucoup d'amour à nos animaux, je sais que ça remplace pas, mais tout de même, on les aime ».

« Tu as des animaux ? Lesquels ? »

« Alors tout d'abord nous avons Praline, un terre neuve, ensuite Betty, une siamoise, nous avons également deux perruches Adam et Eve et… »

« Comment Adam et Eve... T'as pas osé… C'est pas catho ».

Et nous voici partis d'un rire tellement tonitruant que les promeneurs ne pouvaient s'empêcher de nous regarder en se demandant sans doute ce qu'il nous arrivait…

La journée s'est ainsi achevée, et je m'empressai de passer faire quelques courses avant de rentrer.

Elisa, c'est étonnant, elle a occupé beaucoup d'espace dans ma vie. Aujourd'hui, je me demande si la distance que j'ai mise entre nous était salvatrice.

Pendant ma balade, j'ai vu des femmes allongées sur la plage, et instinctivement elles m'ont fait penser à elle, il y a longtemps que mon esprit avait oublié, j'ai même imaginé un instant le souvenir de son corps qui se lovait contre moi.

Cinq ans sans toucher une autre femme, sans même en avoir l'envie, et là subitement des émois d'adolescent.

J'ai chassé d'un revers mes pensées et me suis mis à rechercher les informations complémentaires sur l'auteur des ateliers d'écriture, bien décidé à montrer à Mme Latouche ma connaissance sur le sujet… Et j'avoue avoir été vexé sur mon manque de connaissance.

« Siri, c'est quoi l'histoire de "zone mortuaire" » ?

La voix métallique de Siri commence à raconter :

« Un vrai roman, 'noir' si l'on veut, plus sûrement rouge et gris, couleur de pluie et de larmes, couleur de rouille et de béton, couleur de sang, dont chaque page nous cloue sur place par son intensité, son évidente "vérité"…

Comme un long cri de douleur : une douleur nue, à voix blanche, qui vous serre la gorge… »

Michel Le Bris. Étonnants voyageurs Saint-Malo. 1998.

En fait, mes recherches seraient interminables, ils avaient fait couler de l'encre ces apprentis écrivains.

Il fallait juste pour Mme Latouche que je montre un peu mon intérêt pour la culture, j'ai donc passé la soirée à potasser, comme un examen blanc que je ne manquerais pas de passer avec elle.

En 1997, l'État a lancé les fameux projets culturels de quartiers, une vingtaine sur toute la France, à cette époque c'était Douste Blazy le ministre de la Culture.

À la clef, 1 million de francs pour la ville qui jouerait le jeu.

Lorient, avec 'Zone mortuaire', c'était bien une expérience d'écriture.

Mulhouse avait choisi de tourner un film « Zone franche », qui s'est décliné aussi en 'Zone France' sur l'affiche. Quel titre sombre dont Paul Vecchiali avait commencé le tournage le 17 mai, au pied d'une tour de dix-huit étages du quartier des Coteaux, à Mulhouse.

Écrit avec et pour les jeunes de seize à vingt-cinq ans, qui sont pour l'occasion devenus acteurs. Pour ce film, c'est Patrick Raynal le directeur de la collection série noire de chez Gallimard qui a suivi l'aventure.

D'autres initiatives ont vu le jour dans le domaine de la mode, Sonia Rikiel a fait travailler des femmes africaines des quartiers, elles ont créé à l'issue de l'expérience un magnifique défilé de mode mettant en scène les tissus traditionnels.

J'ai arrêté ma lecture.

« Ça fait documentaire, elle va jamais penser que ça vient de ma culture personnelle »

Après avoir réfléchi, j'ai plutôt opté sur la narration version habitants…

La condition pour être impliqué dans ces projets était les faibles ressources, alors ça a causé à Lorient, « Quoi payer des chômeurs pour écrire... Ils ont des formations aux beaux-arts ».

« Des bons à rien, des illettrés… »

« Écrire c'est pas un métier… »

L'expérience a duré 12 mois, un comité de pilotage créé dans la foulée, des formations de sculpture, d'écriture, la découverte du monde de l'édition....

On les voyait sillonner en bande dans le quartier avec à leur tête le monsieur chapeauté : Ricardo, et ensuite ils allaient s'exiler dans l'appartement de Christhéo, l'ancien ilotier du quartier.

Ce policier de proximité avec toute sa bonhomie et son empathie connaissait tout le monde ici, mais un jour, sa mission s'est terminée et il a dû réintégrer le commissariat en laissant tous ceux qu'il appelait ses gamins.

L'appartement avait été vidé et mis à disposition des écrivants, et les habitants ne savaient plus à qui raconter leurs petits malheurs.

« Vu qu'ils ne savent pas écrire, ils vont écrire sur nous » disaient les gens, et du coup ils les évitaient de manière à ne pas se retrouver malgré eux héros d'un jour...

Non ils ne savaient pas écrire un roman, d'ailleurs peu de gens savent le faire... Alors pour noircir ces pages une à une, ils ont parlé de ce qu'ils connaissaient : leur vie...

Des vies cabossées pour certains, ils ont évoqué la grand-mère qui avait tué le grand-père avec un marteau de calfat... ils ont raconté la guerre d'Algérie, et puis Clémence est née...

Pour décrire une scène de fileyeuse de poisson, le métier de l'héroïne malgré elle, ils sont allés visiter l'usine, ils ont suivi les mouvements précis de toutes ces petites mains...

Les photos qu'ils faisaient, dans des boites de conserve, des sténopés qu'on disait... Un bout de papier photo, glissé dans la boite et un scotch pour obturer la chambre noire de fortune.

Ils se sont émerveillés en voyant apparaître des formes sur leur papier après l'avoir trempé dans du révélateur.

Lorsque le livre a été publié, les élus de la ville de Lorient n'en sont pas revenus... Un projet culturel de quartier, ça ramenait des subventions mais ça n'aboutissait jamais !

Puis, pour la ville de Lorient, le jour de gloire est arrivé... Les journaux, les médias télévisés, puis des émissions « Le cercle de Minuit » LCI... Et pour finir, le salon du livre à Paris, où les apprentis auteurs avaient appris que le prix d'une nuit dans leur chambre d'hôtel était 4 fois supérieur à leur petite paye mensuelle, un Contrat Emploi Solidarité !

La démesure dans toute sa splendeur, mais certains y ont gagné de la confiance, d'autres sont morts ou restés sur le carreau.

Je pense qu'avec tout ça elle va parler, Mme Latouche, j'ai vraiment de quoi lui raconter, elle a dû entendre parler de cette histoire ? Du moins, je l'espère…

Encore une petite nuit, bon, nous sommes enfin mercredi, et Ange m'a appelé pour me dire qu'il préférait me laisser voir Latouche, en tête à tête comme il dit… Elle m'attendait, la porte de son appartement s'est ouverte dès que j'ai donné le premier coup.

Une odeur de chicorée me prend à la gorge, je parie que c'est pour moi…

Toujours endimanchée, Mme pose sur la petite table les deux tasses fumantes, deux muffins truffés de raisins secs semblent me supplier de les manger… À dire vrai, ils font assez pitié.

Finalement, la conversation s'est bien engagée et elle m'a dit à la fin qu'elle ne pensait pas un jour discuter de genre littéraire avec un simple flic…

Le raisin est resté en travers de la gorge… « simple flic ! »

« Vous voulez un peu d'eau ? C'est bon les muffins, mais c'est un peu étouffe-chrétien ».

De fil en aiguille, j'ai dirigé la conversation.

Mme Latouche connaît toute l'histoire du roman, Lorient, c'est un petit bourg aussi…

« Et vous savez qu'il a été aussi publié en italien ? »

« Ah bon ? »

« Zona d'ombra" si ma mémoire est bonne ».

« En tous cas » a-t-elle conclu, « moi je fais écrire les gens pour leur faire du bien, pas pour en profiter ».

« Pourquoi dites-vous ça, »

« Parce que les histoires de vies, surtout quand ça été difficile, on les crache pas comme ça, ça fait partie d'eux, c'est enfoui et ils apprennent à vivre avec, et si on ne compense pas derrière par un accompagnement psychologique, ils peuvent disjoncter ».

« Vous croyez que c'est ce qui est arrivé à Marie ? Elle écrivait aussi ».

« Non, Marie ne faisait que des exercices »

Ainsi Mme Latouche ignorait l'existence du roman qu'écrivait Marie, j'ai donc fait exprès de l'en informer, essayant de provoquer une réaction.

Le rouge sur ses pommettes s'était amplifié, puis elle m'a demandé sur un ton suppliant.

« Je peux le voir ? »

« Non, bien sûr, pour les besoins de l'enquête nous devons garder toutes les pièces ».

« Cela vous aurait intéressé ? »

« Non, finalement » a-t-elle laissé fuser...

J'ai alors préféré changer de sujet.

« Et votre mari, si je ne suis pas indiscret, il est mort depuis longtemps ? »

« J'ai arrêté de compter ». Elle a dit ça d'un air qui me signifiait qu'elle n'avait pas envie d'en dire plus… »

« Et vous avez toujours vécu en Bretagne ? »

« Non, j'y suis seulement depuis plus d'une vingtaine d'années, presque trente ».

J'ai repris de la distance et avec mon air le plus professionnel j'ai continué à lui poser des questions.

« En fait, je voulais vous voir pour parler de Gervais, il était sur le port le matin du 27, or, je suis sûr que c'est lui qui a téléphoné anonymement pour nous faire savoir qu'il avait assisté à la scène du crime ».

« Moi aussi j'y suis sur le port, tous les matins. Je vais sur la digue pour discuter avec mon défunt… »

« Je vous dis pas le contraire, mais avez-vous vu Alvarez pousser Marie, le matin du 27 ? »

« Non ».

« C'est ce que je ne comprends pas, vous n'avez rien vu, le patron du moulin bleu non plus, et Gervais à la même heure, et sur le même lieu se prétend témoin… Et pour finir, l'accusé avait un alibi ».

Mme Latouche s'est levée, me faisant sûrement comprendre que l'entretien était terminé…

« J'ai un adhérent qui va arriver ».

« Très bien, » ai-je répondu, mais je lançai à qui voulait bien l'entendre :

« Il n'a vraiment pas de famille Gervais ? Nous allons peut-être procéder à un interrogatoire et l'emmener au poste avec nous. »

Elle m'a raccompagné à la porte, et avant de la refermer, me dit d'une voix calme.

« Sa famille, c'est moi ».

Que se passait-il entre ces deux-là... Elle n'était pas sa maitresse quand même, ils avaient une différence d'âge très importante, et il est… Enfin, assez simple comme garçon…

Le Moulin Bleu avait repris son rythme, même si le masque restait de mise et que le comptoir n'était pas encore autorisé.

« Bonjour, » j'ai dit…

« Bonjour commissaire ».

À quoi bon, je ne vais pas encore m'énerver…

« Les affaires reprennent ? »

« Trop compliqué, on étouffe là-dessous, et en plus certains de nos clients veulent pas faire gaffe, j'ai jamais pensé prendre un bar pour faire le flic » « Euh pardon, je n'ai pas voulu dire ça ».

« Et pour les lunettes, vous faites comment ? »

« C'est-à-dire ? »

« Moi je peux plus mettre mes lunettes car avec la buée, j'y vois rien »

« Ce n'est pas le plus grave ça, mettez de la mousse à raser sur vos verres, et hop disparue la buée, c'est ce que je fais sur les miroirs des salles de bain… »

« Merci Monsieur, je retiens. »

« Et votre affaire, elle avance Monsieur le Commissaire ? »

« Sûrement une piste, mais très brouillée ».

« Il faudrait savoir, j'ai des clientes qui pensent qu'il y a un serial killer, et qu'il ne s'attaque qu'aux femmes, alors elles ont peur de venir ici »

« Rassurez-les, une pour l'instant, et encore… Peut-être qu'elle n'a pas été assassinée ».

« Vous pensez donc que Marie s'est suicidée ? »

« Elle aurait pu le faire ? »

« Je ne pense pas, elle était toujours en mode survie, en disait le moins possible sur elle, mais était animée d'une farouche et formidable envie de vivre… »

« Et Gervais ? Il peut être violent ? Vous le connaissez bien, non ? »

« Je ne sais pas, peut-être trop affectueux, et maladroit, mais ce n'est pas ça qui fait de lui un coupable ».

« Je peux avoir une bière ? »

« Bien sûr, Blonde, brune ou rousse ».

« Non pas rousse… Trop de mauvais souvenirs pour moi ».

« Alors je vous propose une petite blonde artisanale, fabriquée localement ».

« Oui, ce sera parfait, je vous offre un verre aussi ? »

« Volontiers, un café ».

Finalement pendant plus d'une heure nous avons discuté, et évacué quelques zones d'ombre…

Il ne me restait plus qu'à poser une question délicate…

« Vous-même n'avez pas eu de relation avec la victime ? » « C'est juste une question de routine ».

« Non, jamais ».

Je payai la tournée, et avant de partir essayai encore.

« Vous croyez qu'il se passe quoi entre Mme Lecat et Gervais ? »

« Quoi, je ne saurais dire, mais il se passe quelque chose ».

« Merci, je repasserai boire l'une de vos bonnes bières avec mon collègue un de ces soirs ».

Finalement, je n'étais guère avancé après cet entretien…

La semaine s'annonce morose, je piétine toujours, je suis convoqué chez le commandant Le Du, je n'ai pas de nouvelles de mes enfants, et le comble c'est que le nombre de cas COVID repart à la hausse.

« Leroux, n'allez pas croire que je vous envoie encore dans une mission inutile, le préfet souhaite que nous patrouillions sur les plages, il faut verbaliser les contrevenants ».

« Quels contrevenants ? »

« Vous vivez dans quel monde ? Les touristes débarquent de tous les côtés, ils viennent sur les îles, dans leurs résidences secondaires et ils ne respectent pas le port du masque ».

« Ah ! »

« Je n'ai pas l'air de vous émouvoir, je dois vous le dire comment ? »

« J'irai, chef mais ce n'est pas ainsi que mon affaire va avancer ».

« Eh ben justement si, j'ai envoyé des renforts à Quiberon car les foyers viraux sont en hausse, et on ferme les plages le soir ».

« Et ? »

« J'ai pensé vous affecter avec Ange à Lomener, ainsi en patrouillant vous pourrez peut-être entendre, voir, et ainsi j'espère boucler l'affaire de la noyée d'ici la fin de l'été ».

J'ai laissé échapper un soupir, mais Le Du n'a pas relevé.

« Vous pouvez disposer Le roux ».

Contraventions… Je me vois replonger dans mes premières années de police, on nous appelait les plantons, on sifflait, vérifiait l'identité et on verbalisait, c'est la période la plus horrible de ma carrière.

Les aubergines nous ont remplacées par la suite, habillées de violet, d'où leur petit nom charmant. Elles traquaient l'automobiliste qui avait eu le malheur de ne pas glisser sa pièce dans l'horodateur, ou alors qui ne l'avait simplement pas renouvelée…

La journée fut interminable, les touristes avaient bien envahi la Bretagne, et les comportements étaient assez agressifs, entre ceux qui plaquent leur masque jusqu'au-dessous des cils, et ceux qui le portent sous le menton, j'ai dû me montrer diplomate.

Lorsque ce n'était pas possible de faire entendre raison, j'ai sorti la tablette qui a remplacé le carnet de contravention, et malgré le courroux des contrevenants j'ai fait mon boulot de simple brigadier.

Il se passe un évènement à Lomener, l'ouverture d'un nouveau restaurant qui va rester simple bar jusqu'en septembre, et nous offrira de jolies cartes de menu après l'afflux des touristes.

Une terrasse en bois qui offre une vue sur le port, un serveur avenant maniant le plateau avec dextérité, et un nom en façade, qui contraste avec la situation actuelle « La vie est belle ».

Ouvrir donc « La vie est belle » en plein COVID, c'est un défi.

C'est une référence au film du même nom, cette histoire magnifique d'un papa qui donne l'illusion à son fils que le camp de concentration dans lequel ils sont est une vaste salle de jeu.

Mon géant blond m'a fait faux - bond aujourd'hui, et je me sens bien orphelin.

Il faut que je l'appelle car je ne connais pas la raison de son absence.

Allez, une fin de journée s'annonce ! Retour à la casa…

« Bonjour Mr Leroux ».

La voisine est aimable ce soir, alors je tente un début de conversation.

« Vous allez bien ? »

« Oui, et vous-même, pas trop de boulot en cette période ? »

« Non ».

Puis je sens le persiflage de la vipère. Chassez le naturel.

« Vos enfants sont partis ? »

« Oh oui » j'ai répondu d'un air faussement détaché.

« Ce n'est pas le plus grave, hein ! Vous savez moi je suis en chômage partiel, et ça devient compliqué de faire un plein de course, et en plus les prix se sont envolés. »

« Oui vous avez raison, mais vous m'excusez, j'ai encore du travail à faire chez moi, donc bien le bonsoir chez vous ».

Pirouette cacahouète… Je tourne les talons et rentre enfin dans mon intérieur douillet, et me love dans le canapé non sans m'être servi un verre de vin blanc.

La télé va rester muette et c'est le journal de Marie qui va occuper le reste de ma soirée.

Je suis intriguée, je pense que Mme Latouche m'observe souvent ces derniers temps, peut-être parce que les coups pleuvent un peu plus que d'ordinaire, et que cela l'insupporte, je l'ai vu causer avec Gervais et Mr Lecat et dès que j'approche, les voix se taisent…

Mais c'est surtout après la découverte que j'ai faite chez elle, a-t-elle vu que j'ai feuilleté cet album photo, qui est cet enfant ? Et que faisait cet article de journal à la fin de l'album ?

Avait-elle remarqué que je m'en étais emparé ?

Pourtant je ne peux pas croire qu'elle soit méchante, elle s'occupe trop des autres.

J'ai tout de même décidé de changer de vie, de quitter Alain, et de retourner auprès de mes fleurs.

J'ai lâché le manuscrit, foncé dans ma chambre, repris le papier sur la table de nuit et relu l'article de journal que je pensais appartenir à ma fille.

La veuve noire relaxée ?

Marie avait donc glissé dans le manuscrit l'article subtilisé ! Pourquoi ? S'est-elle sentie en danger ?

Madame Latouche avait été très évasive sur la mort de son mari, comment avais-je laissé passer ça ? Elle m'a dit habiter Lomener depuis bientôt 28 ans, mais avant ?

Mon cerveau est en mode cocotte-minute qui ne trouve pas la soupape… Je me lance dans une recherche effrénée sur Internet….Veuve noire relaxée…

Le référencement de Google fidèle à lui-même, algorithme me présentant toutes les espèces d'araignées, noires, velues mangeuses d'hommes, mais au bout de la cinquième page, un titre attire mon attention.

« Madame S, institutrice, a découvert la relation sulfureuse qu'entretenait Monsieur S avec une jeune starlette en vogue.

Un témoin aurait pu lire la plaque d'immatriculation d'un véhicule qui poursuivait la voiture du couple maudit, au bout d'une course effrénée, et dans un lacet sinueux la voiture de Mme S a fait une embardée précipitant l'autre véhicule dans le ravin »

Si l'article datait bien de 1992, il faisait état d'une rumeur qui ne figurait pas dans celui que je possédais.

« Madame S, née Latouche, après avoir connu la trahison de son époux, aurait appris que lui et sa maitresse auraient eu un enfant, très vite abandonné auprès des services sociaux.

Les soupçons se sont alors rapidement portés sur elle.

Manquant de preuves matérielles suffisantes, et un alibi solide pour la supposée coupable, la police a donc conclu à une mort accidentelle ».

« Madame S a repris son nom de jeune fille, et est partie vivre dans un petit port de Bretagne ».

Ben le moins qu'on puisse dire c'est que mon enquête va prendre une nouvelle tournure. Ma bénévole, investie dans l'église et dans les associations s'est bien gardée de me faire des confidences.

La nouvelle tournure n'eut donc pas eu lieu, et mon enquête s'est encore une fois arrêtée…

Nous sommes aujourd'hui le samedi 15 août, je viens de vivre 14 jours de confinement strict, un cadeau du ciel nommé Ange.

Un flic ça ne lit pas l'Huma et c'est donc presque naturellement que je m'arrête sur la lecture des Échos. « *D'après les derniers chiffres de Santé Publique France, le nombre total de cas confirmés de contamination au COVID-19 s'élève à 215 521. Dix-sept nouveaux clusters ont été identifiés. La Grande-Bretagne a fait état de 1 012 nouveaux cas d'infections au nouveau coronavirus, son cinquième jour consécutif au-dessus de la barre des 1 000 nouveaux cas enregistrés par jour* ».

J'ai été informé par la sécurité sociale que j'avais « la chance » d'appartenir au cercle de relations d'une personne infectée par le virus… J'ai dû rester chez moi en attendant les symptômes qui ne sont jamais venus… Et tant mieux !

L'agence régionale de santé m'a donné la marche à suivre, et lorsque j'ai parlé de test on m'a signifié qu'il aurait lieu seulement en cas de fièvre…

Lorsque la localisation du cluster a été faite, j'ai saisi le téléphone pour prendre des nouvelles de mon binôme, et c'est sa femme qui d'une voix éteinte m'a appris son hospitalisation.

« Gabriel, c'est à cause de son poids, au départ un simple rhume, ensuite l'oppression est arrivée, il me disait qu'il avait l'impression qu'un marteau piqueur lui perforait l'intérieur. »

« Au bout de trois jours, décision a été prise de le mettre sous oxygène, pour l'instant ça tient, mais le médecin-chef n'a pas exclu la réanimation… »

Les sanglots qui entrecoupaient sa voix en disaient long sur le lien qui les unissait.

« J'ai la chance de travailler dans le service voisin et du coup j'ai pu aller le voir, mais j'en ai trop vu ne pas en réchapper ».

Imaginer mon gaillard alité et touché par ce virus de merde…

Les 14 jours ont été interminables, rongé par l'inquiétude de ce monde qui part on ne sait où, en attente de nouvelles plus rassurantes pour mon collègue, et pour finir sur une note optimisme, « Ce n'est pas une deuxième vague ».

Avant ma première sortie officielle, Le Du s'était fendu d'un appel téléphonique pour me faire part de la maitrise du virus au sein du service. Il m'a également averti que Gervais avait été arrêté en plein délire sur le port de Lomener, et qu'il avait été transféré à la clinique Saint-Vince.

À la fin de la conversation, j'ai constaté qu'en aucun moment il ne m'avait demandé si j'allais bien.

Je n'ai pu m'empêcher avant de raccrocher de le remercier d'avoir pris de mes nouvelles !

C'est donc ainsi que mes premiers pas m'ont conduit à la clinique, on m'a demandé d'attendre dans le hall après m'avoir vidé un flacon de gel sur les mains et s'être assuré de l'étanchéité de mon masque…

Ici, c'est une ambiance particulière, un coin salon près de la machine à café, une salle d'attente jouxtant aux bureaux des trois psychiatres qui officient, des cris parfois qui troublent le silence.

C'est un petit homme un peu dégarni qui vient me chercher, un air affable mais assez distrait, c'est le métier qui doit le vouloir…

« Monsieur Leroux, que puis-je pour vous ? »

« Mon supérieur m'a averti qu'un individu a été admis chez vous, après avoir déclenché une crise sur le port de Lomener »

« Ah, Monsieur Le Gwenn Gervais ! »

« Oui, pouvez-vous m'en dire plus ? J'enquête sur une affaire de disparition, et Gervais est bien trop présent dans cette affaire ».

« Je resterais discret sur le profil psychologique de mon patient, vous comprenez bien que je suis tenu au secret professionnel »

« Oui, alors est ce que vous pouvez au moins répondre à certaines de mes questions ? »

« Je peux ».

« Est-ce qu'il aurait pu tuer une femme ? »

« Oui, au même titre que vous pourriez le faire, ou moi-même ! »

La partie s'annonçait serrée.

« Sa pathologie pourrait-elle le rendre violent ? »

« Elle pourrait ».

« A-t-il déjà été interné ? »

« Ici, on n'interne pas les gens, c'est un placement volontaire, très rarement la famille peut le demander »

« Il n'a pas de famille »

Le blanc qui s'ensuivit nous a donné l'impression de faire une minute de silence…

« Puis-je le voir ? »

« Pas pour l'instant, il est actuellement plongé dans un repos artificiel, afin de reposer son cerveau ».

« Quand puis-je revenir ? »

« La semaine prochaine. La cure de sommeil est programmée jusqu'au 24 en principe, mais il arrive qu'on raccourcisse les délais ».

« Merci pour votre collaboration ».

« Je ne collabore pas ! »

« Merci ».

Le moins qu'on puisse dire, c'est qu'en sortant de l'établissement, je n'étais pas plus avancé qu'en y rentrant…

Retour à la grande maison, direction le service des recherches…

« Bonjour les gars, comment allez-vous ? »

« C'est plutôt à toi de nous le dire, il paraît que t'as chopé la COVID ? »

« Non, suspecté, c'est Ange surtout qui morfle » « Bon, j'ai besoin de vos services, je voudrais récupérer le dossier d'une enquête qui a eu lieu en Provence.

Les doigts crépitent sur le clavier, le service interne du renseignement est très efficace et en l'espace d'une heure, la numérisation apparaît sur l'écran et l'imprimante crache une série de feuilles.

La veuve noire… c'est ainsi que les policiers chargés de l'affaire à l'époque l'avaient baptisée, rien de bien original, juste emprunté aux gros titres de l'époque.

Je suis parti m'enfermer dans mon bureau, enfin le terme “bureau” est peut-être pompeux, tout juste un cagibi avec une paroi vitrée qui donne sur la photocopieuse. Open space à la mode policière…

Inutile de se curer le nez, il y a toujours quelqu'un pour surveiller la trajectoire de la crotte que je viens d'extirper…

Après une lecture en diagonale des feuillets, je me concentre sur la partie témoignage et alibi de la veuve…

Celle-ci déclare être en villégiature chez son amie, Mme Postiec, pendant une semaine au fin fond du Lubéron. Elles sont sorties un vendredi soir et à leur retour ont constaté le vol de la Triumph noire de Madame S.

Déclaration faite le samedi matin à Saint-Martin de Castillon.

J'ai remis en place le puzzle : Monsieur S et sa maitresse en balade amoureuse se font percuter ce même samedi soir et finissent au fond du ravin.

La voiture prend feu, et les restes calcinés sont par la suite identifiés.

La carcasse contient deux valises dont on ne retrouvera que la structure, ainsi qu'un siège auto d'enfant.

Pas d'ossements d'enfant. Ils étaient deux dans la voiture.

La voiture de Mme S a été retrouvée dans une clairière trois semaines après la tragédie, elle portait des marques profondes pouvant correspondre au choc qui a provoqué la chute du deuxième véhicule.

Plus je réfléchis, plus je me demande ce que vient faire Marie dans cette histoire sordide de tromperie…

La sonnerie de mon téléphone retentit en m'arrachant à mes pensées… Je suis surpris car le cri de la mouette qui me sert d'alarme a laissé place à un son de Big Ben… Putain d'électronique, il suffit que tu touches un truc, ou alors d'une mise à jour que tu n'as même pas programmée, pour que ta configuration change…

« Gabriel bonjour, c'est Célia, la femme d'Ange ».

Mon cœur n'a fait qu'un bond, que se passe-t-il ?

« Ne vous inquiétez pas, en fait je viens vous apporter de bonnes nouvelles, la mise sous oxygène fonctionne très bien, Ange n'ira pas en réanimation et s'il continue à se battre avec autant d'acharnement, on pourrait envisager une sortie de l'hôpital dans une semaine ».

« Merci de m'en avoir informé, je suis vraiment très heureux pour lui et pour moi aussi » !

Ce soir, j'ai décidé de sortir un peu, sûr qu'on n'est plus confinés, que la vie continue, mes pas m'entrainent vers la place Polig Monjarret. Ici c'est animé, j'entends le son des cornemuses et du violon, comme le 17 mars, le jour de la saint Patrick, jour où tout a commencé.

À l'intérieur, l'odeur du kig à farz, spécialité de la taverne du Roi Morvan. J'ai commandé une Guinness et une assiette. Les clients sont dociles et festifs, les rythmes sont marqués par les pieds, tout comme ce groupe Mask à gazh, genre de punk celtique qui anime la soirée.

Les sabots ne sont pas à Hélène, mais ils tapent dur la cadence. Des Groisillons, je crois.

Une deuxième Guinness et la tête me tourne déjà, manque d'entrainement… Vivement qu'Ange revienne…

Je ne sais même pas comment je suis rentré…

Ce matin, grosse barre à la tête, allo maman bobo, un Doliprane pour remettre le cerveau en place et me revoilà parti à Lomener. Je dois retourner voir Mme Latouche, je pense que sa relation avec Gervais doit être très perturbée. Elle ne peut pas aller le voir à la clinique.

Une douche salutaire, un jean enfilé et je repars dans ma voiture. La population augmente et la chaleur qui gagne la Bretagne me fait me retrouver dans un bouchon à l'entrée du port.

Les terrasses sont pleines, et en plus la capacité en a été doublée, rarement vu autant de monde ici, sauf lorsqu'il y avait les jeudis du port et leur lot de frites saucisses et de musique endiablée.

Le rideau s'est agité chez Mme Latouche, au moins je ne ferai pas chou blanc.

Elle a les traits tirés ce matin, mais fidèle à elle-même, elle me propose ses éternelles madeleines et de la tisane.

« Bonjour, que me voulez-vous, encore ? »

« Je suis allé à la clinique Saint-Vincent »

« Comment va-t-il ? »

« Je n'ai pas eu le droit de le voir, il est actuellement en cure de sommeil »

Je l'invitai donc à s'asseoir près de moi et doucement lui demandai.

« Que s'est-il passé ? »

« Il était sur le port, et il appelait Marie ».

« C'est pas une raison pour qu'il se retrouve là où il est »

« Il s'est jeté à l'eau, de la jetée ».

« Oh merde ! »

« Ben lui non plus il ne sait pas nager, les pompiers sont vite intervenus, mais il avait déjà bien bu la tasse ».

« Donc il a été hospitalisé »

« Oui d'abord au Scorff, j'ai pu y aller, mais ils ont jugé son état sérieux et ses propos incohérents, d'où le transfert en établissement spécialisé ».

Je lisais la colère chez Mme Latouche, le ton montait.

« C'est à cause de cette fille, elle l'a rendu dingue ! »

« Vous le connaissez depuis longtemps, Gervais, Mme Latouche ? »

« Pourquoi me posez-vous cette question ? »

« Parce que pour une voisine, je vous trouve bien remuée par la situation »

Silence, blanc, soupir…

J'ai pensé un moment qu'elle allait m'expliquer, qu'elle avait besoin de parler, qu'elle détenait un secret qui lui bouffait la vie, mais elle s'est relevée dignement et m'a invité à prendre congé, car elle attendait l'un des adhérents.

J'ai pris le chemin de la sortie et brusquement fait volte-face.

« Madame Latouche, ou Mme S, devrais-je dire ? »

Le sang s'est subitement vidé de son visage, elle est devenue plus que livide, DIAPHANE.

Elle s'est assise à nouveau et est restée me regarder, j'ai cru voir passer à ce moment dans ses yeux une pensée meurtrière.

« Comment savez-vous cela ? » C'est du passé, c'est mon passé ! « Je n'ai pas été condamnée, pourquoi venez-vous rouvrir ces plaies ? »

« Madame Latouche, je suis flic, je mène des enquêtes, j'ai eu accès à ce dossier, mais il ne répond pas à toutes mes questions ».

« Que voulez-vous savoir de plus ? »

« Je veux savoir qui a tué Marie et pourquoi, et je n'aurai de cesse de chercher la vérité ».

L'instant fragile où j'ai senti un battement de cœur sur sa tempe s'est échappé, évanescent, et la faille s'est vite refermée. Elle a conclu, froidement !

« Très bien, Monsieur le Commissaire, faites votre travail ». « Pour ma part, je pense qu'elle s'est suicidée ! »

« Comment vous pouvez dire ça ? Gervais nous a dit avoir vu un homme la pousser, Alvarez en l'occurrence ».

« Ben alors, arrêtez-le ».

« Pas possible, c'est comme pour vous, il a un alibi en béton ».

Je n'ai pas voulu insinuer, mais c'est parti tout seul, impossible de revenir en arrière, c'est donc de cette manière que s'est achevée cette gentille conversation à bâtons rompus…

En descendant l'escalier, j'ai dû essuyer la cascade qui me dégoulinait du front. Canicule oui, mais je pense que ma tension en a pris un coup.

Cette affaire pesait lourd, et chaque porte de sortie se refermait…

Un appel masqué a fait crier ma mouette, tiens d'ailleurs c'était devenu ma sonnerie : Océane.

Je me suis assis sur le muret stupéfait.

« Papa ? »

« Je t'écoute », ai-je répondu, ému. »

« Je voulais prendre de tes nouvelles, tout simplement »

Tout simplement… Comme ces deux mots firent du bien.

« Moi ça va, et toi ? »

« Bac en poche, et direction BTS. Je suis acceptée, mais je suis encore en attente d'une réponse en école d'Art ».

« C'est génial, et c'est l'école d'art que tu kiffes le plus ? »

« Parle pas en jeune, kiffé c'est un langage de vieux qui joue aux adulescents »

« Adulescent ? »

« Oui, un adulte qui se prend pour un ado ».

J'étais mort de rire contre mon mur en face de la mer, elle avait vraiment du répondant cette charmante jeune fille qui était la mienne…

« Donc l'école d'Art, combien de chance ? »

« Je suis en 10e position sur liste d'attente ».

« Je comprends pas bien ».

« En fait, c'est Parcours Sup, on se positionne sur un choix et au fur et à mesure que les jeunes trouvent leur école, les places se libèrent. »

« Bon alors je te souhaite d'être prise ».

« Merci papa »

« Et Malo ? »

« Il fait la gueule, il a pas été à Barcelone, il est resté avec moi à la maison, et Lyon, c'est pas Lorient ».

« Maman ? »

« Ça va mieux, elle s'est reposée un peu »

« Je suis très heureux de ton appel, » j'ai dit.

« Enregistre mon contact, comme ça si tu veux m'appeler t'as pas besoin d'attendre mon bon vouloir ».

C'est devant une bière que j'ai fêté nos retrouvailles, seule elle avait pris la décision de me joindre et de me faire partager ses joies… Une grande journée, qui avait mal commencé, mais achevée d'une manière royale.

La nuit porte conseil, et encore une fois cela se révéla exact.

Il me restait une piste inexploitée, certes difficile, mais qui pourrait me faire avancer : interroger les services sociaux... Après tout Gervais ce n'était pas Moïse et l'Atlantique ce n'est pas la mer Rouge…

Plus j'avançais dans la lecture du roman de Marie, plus je sentais que sa vie se compliquait, et devenait insupportable.

Voilà, je l'ai quitté, Alain le ravisseur ne prendra plus mon cœur, il faut que je cherche un nouveau logement, que je ne dépende plus de lui… Hier soir, j'en ai parlé à Gervais, il a hoché la tête, plein de compassion pour moi, pourquoi ils disent qu'il est un idiot, il ressent tout.

Je dois juste faire attention qu'il ne confonde pas l'amitié avec l'amour…

Il m'a proposé de partager son appartement en attendant, j'en parlerai à Mme Latouche demain.

La semaine dernière, je servais au Moulin Bleu, et j'ai rencontré un plaisancier d'une douceur et gentillesse extrême, j'étais assez émue par cette jolie rencontre, est-ce que je pourrais encore y croire ?

Pendant que j'essuyais les verres, je ne pouvais m'empêcher de sentir un regard soutenu, assis sur le tabouret les yeux rivés sur ma personne.

Il m'a ainsi demandé l'heure de fin de mon service et m'a proposé de m'attendre pour aller boire un verre ailleurs.

C'est donc sur son voilier qu'on a fini la soirée, il m'a soulevé de terre pour me faire embarquer. La peur de l'eau fait partie intégrante de ma vie…

On a parlé sans jamais s'arrêter, comme si on se connaissait depuis des années et qu'on se retrouvait là par hasard.

Libres comme l'air qu'on respire, pas de tabous dans les conversations, en tous cas au matin on savait à peu près tout l'un de l'autre.

Et tout naturellement, on s'est approchés pour un long baiser comme au cinéma. Tout a été très vite ensuite, et lorsque je me suis assoupie à ses côtés, je sentais encore la force de son étreinte.

Je crois être à nouveau amoureuse !

Un gros cœur dessiné sur cette page, une éclaircie dans son ciel si sombre, je me couchais heureux de la retrouver en fleuriste aimante et pleine de vie.

La psychose collective s'est réactivée, tout comme le virus... J'ai arrêté d'essayer de comprendre ce qu'il fallait faire ou ne pas faire.

Tout et son contraire, on y perd tous notre latin, d'ailleurs je crois que ceux qui essaient de nous informer ne savent rien de plus...

Le quinze août vient de se terminer et on est déjà dans la rentrée scolaire. Se fera ? Ne se fera pas ?

Les procédures de redressements judiciaires se multiplient aux dires des représentants de la chambre de commerce et d'industrie, c'est l'info que nous a donnée Le Du.

Notre travail va être impacté et les larcins vont se multiplier... La faim fait sortir le loup du bois.

Le moral dans les chaussettes, je n'arrive pas à me trouver un centre d'intérêt qui me débarrasse de cette sinistrose.

« Vous avez un nouveau message »

Le téléphone s'est éclairé et je regarde sans comprendre d'où vient cette notification.

J'hésite un moment avant de l'ouvrir, c'est l'été des pishing, et le piratage va bon train.

Sur Facebook, j'ai déjà eu un message similaire la semaine dernière qui me demandait si c'était moi sur la vidéo, j'ai naturellement ouvert cette vidéo et je me suis fait pirater...

Mes amis virtuels se sont donc passé le mot pour m'avertir...

La curiosité l'emporte malgré tout, message de Laurie... Ai-je l'honneur de découvrir la playmate du mois ?

Cher Gabriel,

Tout d'abord, excusez-moi pour cette familiarité, mais en lisant votre annonce, j'ai eu l'impression de vous avoir toujours connu.

Nous devons sensiblement avoir le même âge et le même parcours, vous êtes ma dernière tentative, en effet, sur ce site j'ai été importunée par des hommes qui en voulaient plus à mes fesses qu'à mon quotient intellectuel.

Mais les mots que j'ai lus m'ont poussé à en savoir un peu plus sur vous.

Je suis divorcée depuis 5 ans et me suis consacrée à ma fille et à mon métier.

À l'heure d'aujourd'hui, ma fille est partie naviguer dans d'autres eaux, très loin de moi et mon travail ne devient plus qu'une formalité alimentaire.

Je vous propose donc une rencontre dans un endroit public et bien sûr dans le respect des gestes sanitaires.

Ne vous méprenez pas sur le sens de mon message, je ne suis pas à la recherche d'une énième aventure sans lendemain, mais bien d'un compagnon de route qui partagerait le même chemin.

Je serai donc au bar de la Base sur la terrasse, vous me reconnaitrez car j'aurais un chapeau et une veste blanche.

Ce soir à 20 h.

Ne vous donnez pas la peine de répondre à ce message, il est comme une bouée lancée à la mer.

J'attendrai donc et je saurai me consoler si vous ne répondez pas à cette invitation.

Laurie

Mon annonce, elle répond à mon annonce…

J'ai beau me creuser la cervelle, je ne sais pas de quoi cette femme parle… Sauf peut-être, la soirée avec Ange, c'est vrai qu'on avait déliré sur la fin de mon célibat forcé.

J'avais beaucoup bu ce soir-là et effectivement je me souviens vaguement avoir posté une annonce sur un site de rencontre… Merde, tu t'es vu quand tu as bu ?

Je ne sais même pas les conneries que j'ai pu écrire…

La journée a très vite passé, et mes recherches sur Gervais n'aboutissaient pas. Vouloir percer le secret d'un abandon, même lorsque cela relève d'une demande judiciaire, est compliqué. On vous balade de bureau en bureau. J'ai dû avoir au moins 6 interlocuteurs et à chaque fois devoir répéter ma demande. C'est lassant.

Les services sociaux finissent par me dire qu'un placement a été effectué à ses deux ans, après l'accident qui lui a fait perdre ses parents.

Mais l'abandon avait été demandé bien avant, et s'était caractérisé par un délaissement parental, un « désintérêt manifeste » précise le procès-verbal.

Je comprends mieux pourquoi il est très difficile d'avoir accès à son dossier, j'imagine la violence que doit provoquer la lecture de ces deux mots, lorsque l'on veut connaître la vérité sur sa naissance.

Pour le reste du dossier, la fonctionnaire m'a indiqué qu'une procédure d'adoption avait été faite et que Gervais Le Gwenn avait de ce fait, cessé de dépendre du service social.

Bien que les recherches du jour m'aient bien occupé l'esprit, j'ai passé la journée à me demander si j'irais au rendez-vous de l'inconnue…

Dix fois, je me suis dit : « J'y vais ».

Vingt fois, je me suis dit : C'est « non » !

En attendant, il est déjà 19 heures, donc il faut bien prendre une décision.

La mouette… C'est Ange, la voix affaiblie…

« Salut mon binôme, ça va ? »

« C'est à toi que je pose la question, tu es donc sorti de l'enfer ? »

« Oui, je suis rentré chez moi »

« Comment vas-tu ? Raconte-moi ».

« Pour la ligne, c'est génial, perte nette de 18 kg, mieux que "Comme j'aime" et moins cher ! »

« En tous cas, tu n'as pas perdu ton humour… »

« Valait mieux pas, vu par où tu passes, donc j'ai souhaité aussi que tu viennes à la maison ».

« Maintenant ? »

« Non, pas avant la fin de semaine… J'ai encore un délai de prescription, et franchement je préfère t'offrir un verre qu'un COVID ».

« Oui pas faux… Au fait en parlant de verres, tu te souviens de la soirée pizza sans pizza chez moi ? »

« Ben oui, j'ai perdu des kilos mais pas la mémoire, pourquoi ? »

« L'annonce qu'on avait postée sur le site de rencontre a attiré la convoitise d'une certaine Laurie ».

« Et alors ? »

« J'ai rendez-vous à 20 h ce soir à la Base ».

« Magne-toi, il est presque vingt heures, je te rappelle demain. »

« Mais… j'ai pas décidé d'y aller »

« Fonce… »

C'est ainsi que je me suis retrouvé en face de Laurie et de son chapeau blanc, au bar de la Base.

Une entrée fracassante avec un serveur qui s'est planté devant moi comme un pitbull.

« Votre masque Monsieur… » Décidément, je ne m'y ferai pas !

La bouche un peu pâteuse, le regard vitreux, le réveil était très compliqué ce matin, et pourtant je dois aller essayer de comprendre l'épisode Gervais.

J'ai donc longé le Ter, pour finir dans ce cul-de-sac où se trouve mon suspect.

La brume de chaleur donne un aspect fantasmagorique aux flots, et les milliers de reflets dansants captent mon regard, me faisant perdre toute mon attention.

C'est le psychiatre qui est venu me chercher dans le hall de la clinique, il venait de m'informer de la sortie de cure de sommeil de Gervais.

Je l'ai suivi devant la porte vitrée, et attendu qu'il badge pour que nous puissions entrer dans le grand couloir.

Une chambre tout en longueur, deux barrières autour du lit, et une petite tête rabougrie, voilà ce qu'était devenu Gervais.

Il faisait presque pitié, des bleus sur le creux des bras, les yeux cernés de noir, et une sangle pour le maintenir.

« COMMISSAIRE… Voilà le commissaire ».

« Bonjour, Gervais ».

« Vous avez retrouvé Marie ? »

« Non Gervais, Marie est morte, vous le savez ».

Le psy m'a discrètement tapé sur l'épaule, j'ai peut-être été un peu fort sur la prise de contact.

« Gervais, j'ai besoin de savoir qui étaient vos parents adoptifs ».

« Je sais plus, je les ai quittés à mes 16 ans et j'ai été placé dans un foyer, et ma mémoire ne sait plus »

« Pourquoi les avoir quittés ? »

« Parce qu'ils m'ont pris mes parents ».

Les propos étaient confus...

« Vos parents ? Mais vos parents sont morts d'un accident de voiture ».

« Oui, mais c'est eux qui les ont tués »

Le toubib s'est approché de Gervais, il lui a dit de se calmer, qu'il fallait me répondre, que c'était important.

« Pas mon père adoptif, mais ma mère, je suis sûr qu'elle a poussé la voiture, je l'ai entendu en parler avec une autre dame un jour au téléphone »

« Depuis quand êtes-vous en Bretagne ? »

« A mes deux ans je crois, ils m'ont emmené avec eux, ils ont tout vendu et quitté la région »

Les explications au lieu de m'éclairer, m'ont plongé dans un drôle d'état... Je ne comprenais rien, par contre je trouvais Gervais très normal... Ce séjour lui faisait du bien !

« Comment êtes-vous arrivé à Lomener » ?

« C'est madame Latouche que j'ai connue au foyer, elle faisait écrire, elle m'a fait remplir des papiers pour être émancipé, et elle a payé le loyer de l'appartement que j'habite ».

Madame Latouche, le grand retour, mais elle est partout celle-là ! Dans la vie de Gervais, de Marie...

Je me demande si de nouvelles révélations vont m'éclairer, et surtout comment continuer mes pérégrinations.

Tant que je ne trouverai pas le lien entre Gervais, Latouche et Marie, le mystère restera entier.

Pourquoi Mme Latouche a-t-elle fait venir Gervais à Lomener, pourquoi l'avoir fait émanciper ?

J'ai une fois de plus tenté de reconstituer toutes ces données, pourquoi Gervais ne serait-il pas l'enfant maudit du couple adultère, comme l'a suggéré le journal.

L'article qui retrace l'accident du mari de Mme Latouche fait état d'un siège auto enfant, mais les Latouche n'ont jamais eu d'enfants.

Et Marie, aurait-elle découvert un secret ? Pourquoi ce torchon à scandale est dans son manuscrit ? Elle aurait pu être assassinée pour ne pas dévoiler une vérité ?

Je ne crois pas à la thèse de 3 voisins qui se connaissent et s'occupent les uns des autres.

Elle était très jolie avec son chapeau blanc, comme une poupée de porcelaine, le teint clair et les yeux en amande, une grande douceur émanait d'elle, cette même douceur que j'avais trouvée dans son message et qui m'avait fait accepter son rendez-vous.

Apaisante Laurie.

Une fois assis, le protocole sanitaire nous permettait de retirer nos masques. Ce que l'on a fait, un peu comme on pourrait se dévoiler avec une certaine sensualité.

Le reste de son visage était tout aussi joli que l'aperçu, une jolie fossette sous sa lèvre inférieure, un nez fin et légèrement retroussé, tout ça dans un ovale parfait.

Une fois les présentations d'usage effectuées, on a parlé sans s'arrêter, comme si on se retrouvait après des années, tout y est passé, vie affective, vie professionnelle, et c'est surpris que nous apprîmes la fermeture imminente de l'établissement… On n'a vraiment pas vu le temps passer…

Lorsque je franchis la porte de chez Ange, j'étais encore sur un nuage, la rencontre de la veille, le mal que j'ai eu à m'endormir tant elle avait provoqué un séisme dans ma vie et surtout… Surtout pas d'inquiétudes, pas de questions.

Et dès que j'ai levé mon regard sur sa grande stature, je me suis rendu compte de l'effet qu'avait eu le COVID sur sa carcasse, il paraissait même fragile.

« Je suis heureux de pouvoir te voir, enfin non, comment le dire, oui en fait le temps m'a paru long »

« Et moi donc » Toujours son humour !

« J'ai plein de choses à te raconter, » j'ai repris.

« Entre, je vais d'abord te présenter mon épouse, il me semble que tu la connais uniquement par le son de sa voix »

« Oui, en effet, et je ne retiendrai d'ailleurs que la nouvelle de ta guérison »

« Maladie de merde, tu te sens partir, tu n'es plus toi, tu voudrais juste que tout s'arrête ».

J'en avais froid dans le dos et j'espérais ne jamais avoir affaire à ce truc…

« Je suis revenu à la maison depuis une semaine, et j'ai pris connaissance du récapitulatif que tu m'as envoyé par mail, on dirait que l'affaire se précise ».

« Tu trouves, toi ? »

« Ben oui, juste une affaire de vérification »

« Je comprends pas… »

« Ton Gervais, c'est le fils de la starlette, elle s'appelle Le Gwenn, elle l'avait déclaré à sa naissance »

« Comment tu sais tout ça ? »

« J'ai tout simplement consulté l'extrait de registre de l'état civil… J'en avais fait la demande avant d'être malade, je l'ai trouvé à mon retour, dans ma boite mail ».

« Et donc Mr Latouche aurait été le papa ».

« Non, le papa c'est Monsieur S, Latouche c'est le nom de jeune fille de l'institutrice, elle a repris son nom après une période de veuvage ».

« Il reste encore une grande part d'inconnu, j'ai tout de même l'impression d'être dans un labyrinthe »

« Oui, j'ai aussi cette impression, je suppose que tu te demandes comment Gervais est revenu ici, comment Mme Latouche l'a rencontré et pourquoi elle s'en occupe ainsi ? »

La soirée s'achève et il faut que je rentre chez moi, je suis passé de « mode confiné » à « vie publique », je ne sais même pas si j'ai passé deux heures chez moi en 48 heures.

Avant de monter dans la voiture, je regarde mon téléphone, la mouette n'a pas crié et ma belle inconnue ne s'est pas encore manifestée… J'espère ne pas m'être emballé trop vite.

Enfin, chez moi, j'ai envie de passer un moment avec Marie, avec le temps et malgré la noirceur de sa vie, j'éprouve un plaisir fou à lire ses pleins et ses déliés, ses taches d'encre et son écriture appliquée d'enfant studieuse.

Je vais enfin partir, mais pas chez Gervais, je m'éloigne de Lomener, je pars avec mon amoureux.

Lorsque j'ai été voir Mme Latouche pour lui demander son avis sur une colocation avec Gervais, elle est rentrée dans une rage folle, je ne l'ai jamais vue comme ça, elle si calme d'habitude !

Elle a sûrement compris aussi qu'après des recherches acharnées, j'ai fini par percer son mystère.

J'ai levé le voile sur la provenance de son album d'enfant, sur sa proximité avec Gervais et sur la monstruosité dont elle avait été capable.

Et pourtant j'avais précisé que je payerais un loyer à Gervais... Mais après en avoir parlé à mon navigateur, ce dernier m'a proposé de partager son bateau et sa vie !

J'ai tellement rêvé ce moment, se sentir femme, aimée, confiante en l'avenir malgré mon passé noir.

J'irai voir Gervais demain, ainsi que Mr Lecat, faire mes adieux aux gens qui ont compté pour moi, et cher journal, je crois également que je vais prendre congé de toi.

Ce besoin d'écrire qui m'a fait tant de bien s'est un peu estompé avec le temps, peut-être parce que je n'éprouve plus le besoin de me confier.

Alors, j'espère pouvoir te relire, lorsque le temps aura passé et que les cicatrices du passé seront toutes effacées.

Au revoir mon ami, mon confident. Fin.

Marie

Brutales, inattendues, ces trois lettres qui achèvent son histoire. Première certitude, Marie ne s'est pas suicidée… Une nouvelle vie l'attendait…

Le sommeil n'a pas été au rendez-vous, je me sens comme orphelin.

Avait-elle été voir Gervais ? Est-ce lui qui, par colère, l'aurait poussé à l'annonce de son départ ou de sa relation amoureuse ?

Le mois d'août était déjà bien commencé, le temps filait malgré tout.

La grande enveloppe marquée à l'en tête du ministère des Finances attend tranquillement dans la boite aux lettres, je l'ai déjà aperçue hier, mais je ne voulais pas me plomber le moral…

Eh bien voilà, la prime va servir au rattrapage de 2019, avec tout ce que je leur ai donné, euh non je devrais dire ce qu'ils m'ont pris, car c'est à la source qu'ils se désaltèrent… j'ai encore trois mois à verser, année blanche qu'ils disaient ?

La journée donc commence sous des auspices… Bref ! Journée de merde…

« Impôt du matin, chagrin ».

Ce n'est pas comme ça que je vais injecter dans l'économie…

Au pas de course, je rejoins le commissariat, enfin ! je reprends avec mon collègue, le temps m'a paru très long en cavalier solitaire…

Le Du me lâche enfin sur les contrôles de masque, sans doute assiste-t-il aux débordements de foule comme cette semaine au Puy du Fou, et se demande si c'est bien utile d'en faire autant à Lorient… J'ai même cru qu'il allait adhérer au syndicat Police.

« Il y a du favoritisme, pas le même traitement selon la ville dans laquelle tu te trouves »

Et là, je m'abstiendrai de répéter les noms d'oiseaux dont ont été qualifiés les nouveaux ministres dans sa bouche de chef…

Petite enveloppe sur mon écran.

« Vous avez un nouveau message de Laurie »

Tel un collégien en plein émoi j'ai senti mon cœur sortir de la poitrine.

Bonjour Gabriel,

Vous avez passé avec succès les premières épreuves vous permettant de vous qualifier pour la deuxième manche.

Afin de m'assurer que vous maintenez votre candidature, je vous demande d'accuser réception de ce message et de me confirmer votre présence ce soir à 20 h au même endroit que la première fois.

Mais avant de vous laisser répondre, je souhaiterais livrer à votre réflexion quelques éléments :

J'ai passé une excellente soirée avec vous, ce qui ne m'est pas arrivé depuis fort longtemps.

Merci de m'avoir fait partager vos rêves, vos ennuis, et de m'avoir fait comprendre que la vie à deux faisait encore partie de vos envies.

J'ai aimé vos longues mains fines, vos yeux caressants, votre bouche charnue qui est une invitation à embrasser, mais bien sûr la retenue étant pour l'instant en vigueur je me suis donc abstenue.

Je n'ai pas senti de votre part la recherche d'une aventure sans lendemain.

Je vous attends donc ce à 20 h, j'aurai cette fois un chapeau et une veste verte : Couleur espoir.

Et j'allais oublier « Je vous précise ma tenue vestimentaire car il serait peut-être présomptueux de ma part de penser que mon visage peut déjà vous être familier »,

Laurie

Mauvaise humeur envolée, et comme un gamin je me précipite dans le bureau d'Ange.

Il est aussi souriant ce matin, content de retrouver sa vie, tel un miraculé et les cartes postales qui jonchent sur le bureau témoignent de l'attention que lui ont porté les collègues.

« Bon, on récapitule et on achève ? »

« On achève quoi ? »

« Cette affaire, sinon on va finir aux archives »

« Comment va-t-on procéder ? je veux dire stratégiquement avec nos deux présumés coupables, soit on se penche sérieusement sur Gervais, soit on joue sur la corde sensible de Mme Latouche »

J'ai réfléchi un moment et demandé à Ange si Le Gwenn avait pu être adopté et avoir une autre identité, qu'il aurait abandonnée le jour de son émancipation.

« D'après mes infos, cet enfant a été confié à un tiers par un juge, en l'occurrence il s'agissait d'amis de la famille. Le juge avait pris cette décision dès que la starlette a été privée de l'autorité parentale ? elle ne payait même plus la pension alimentaire »

« Tu réponds pas à ma question ! »

« Le tiers qui s'occupe de l'enfant n'obtient pas le statut de parent, donc il n'a qu'une seule identité »

« Donc, on voit qui ? »

« Gervais ».

Direction Clinique Saint Vincent, passage lavage de main, masque et salle d'attente.

« Le psy veut vous voir », nous fait savoir la dame de l'accueil.

« Au fait, ton rendez-vous, c'était comment ? »

« Étonnant, je suis tombé sur une drôle de personne, façon énigme et jeux ».

« Une pratiquante du SM ? »

« Mais non » J'ai réprimé mon rire, ce n'était pas le lieu… mais là j'ai imaginé Laurie en cuir avec un masque et un fouet.

« Ben raconte alors, me laisse pas dire des conneries ! »

« Elle est douce, brillante, et pétillante »

« Vous avez fini la nuit ensemble ? »

« Ben non, justement, aucune précipitation, d'ailleurs on se revoit ce soir »

« Bravo, je mets 10 euros sur la case remariage »

Faut pas exagérer non plus, cette femme je venais juste d'en faire la connaissance, mais j'ai rien dit à Ange, il était trop content pour moi.

Je trouvais cependant qu'après avoir contracté la COVID, il était un peu tôt pour mon collègue d'avoir repris le travail… Mais le médecin avait cédé aux injonctions de ce dernier.

La blouse blanche a fait irruption dans la salle d'attente.

« Commissaire Leroux ? »

« Pas commissaire, brigadier docteur »

« Je peux vous voir dans mon bureau ? »

« Bien sûr, je vous présente mon collègue Brigadier Ange Quemenerien »

« Suivez-moi »

Le bureau est sobre, la grande baie vitrée donne sur un jardin particulièrement luxuriant, le psy ouvre alors un dossier.

« Qui est Mme Latouche ? »

« Une voisine, et peut-être plus, pourquoi me posez-vous cette question, vous l'avez vue ? »

« Oui, justement, et après son départ il était très agité ».

« Vous a-t-il expliqué pourquoi ? »

« Je vous ai dit être tenu par le secret professionnel, mais il s'est passé une chose étrange et je ne voudrais pas faire obstruction à une affaire criminelle »

Ange et moi avons froncé les sourcils, comme deux jumeaux, que voulait nous dire ce médecin ?

« L'infirmière du secteur a assisté à une violente discussion entre les deux, je dis violente car malgré l'épaisseur de la porte toute la conversation était audible dans le couloir ».

« Je suppose que si vous vouliez me voir, c'est que c'est assez grave, assez peut-être pour ne pas préserver le secret médical »

« Non, » Pas à ce point.

J'ai repris, « Je vous écoute docteur ».

« Il a crié qu'il avait poussé une femme sur le port de Lomener ».

« Et quoi d'autre ? » J'ai demandé.

« L'autre dame lui demandait s'il savait quelque chose, si on lui avait raconté un secret sur sa naissance ».

« Merci Docteur pour votre aide »

Je me suis tourné vers Ange, on n'a pas eu besoin de se parler, en même temps nos deux voix ont demandé au médecin si on pouvait retourner voir Gervais.

Gervais était livide, les yeux hagards.

« Gervais, qu'avez-vous appris avec Mme Latouche ?

« Je n'ai pas compris, elle m'a posé des questions, je ne sais pas répondre… »

« Pourquoi elle criait ? »

« Elle était en colère après Marie, mais je ne sais pas, laissez-moi tranquille ! »

Nous avions compris que pour le moment, on n'allait rien en tirer.

On ne pouvait pas dire qu'aujourd'hui avait été une journée prolifique ! heureusement que le programme de ma soirée était plus appétant.

« Le vert c'est la couleur de l'espoir », me suis-je dit en arrivant à la base sous-marine.

Certes la couleur de l'espoir, mais aussi une couleur qui lui allait à ravir, telle une émeraude dans un écrin.

« Gabriel tu te calmes… Et tu arrêtes le monologue, on dirait un vieux qui rabâche… »

La soirée, un enchantement… Lorsque j'ai repris mon service le lendemain je n'avais pas le cœur à la tâche.

Gervais est arrivé au commissariat j'ai eu le cœur étreint, pauvre garçon ! Pas épargné par la vie, et bien évidemment le coupable idéal… Les gens différents souffrent d'un déficit de sympathie.

Tout est allé très vite, le crépitement des touches, les pages qui se noircissent, et ma voix mécanique qui répétait

« Je dois vous signifier une garde à vue, Mr LeGwenn ».

À peine avais-je annoncé la sentence que des cris résonnaient dans le commissariat… Le planton est arrivé dans mon bureau pour m'annoncer qu'une femme voulait me voir, elle se nommait Mme Latouche.

Gervais venait de quitter mon bureau entre deux gardes, le dos vouté et les deux mains prisonnières d'une paire de menottes.

Laurie sous ses dehors d'aristocrate était assez espiègle, elle me faisait rire, elle me faisait du bien.

Main dans la main, hier soir, nous sommes allés après le repas marcher sur la plage.

Le rouge flamboyant du soleil qui cherchait l'horizon pour aller se coucher, offrant une teinte orangée aux crêtes mousseuses qui passaient du vermillon au carmin.

Naturellement, les mots ont cédé aux baisers et naturellement nos corps se sont embrasés tout comme ce coucher de soleil, et toujours naturellement j'ai su qu'il y aurait des lendemains avec cette femme.

Le Du à son habitude est entré sans frapper, de bouledogue il est passé à pitbull.

Lorsqu'il a vu la veuve, il s'est arrêté net.

« Pardon » a-t-il lâché.

« Chef, je vous présente Mme Latouche, la voisine de la noyée de Zanflamme, elle a su que nous avions mis Gervais en garde à vue, et elle réclame de pouvoir l'assister ».

Le chef s'est tourné vers elle et lui a balancé.

« Vous êtes son avocate ? »

Elle a baissé la tête et répondu par la négative.

« Alors dans ce cas, vous n'avez rien à faire ici »

Elle est repartie, son regard nous a mitraillés.

« Je vous écoute Leroux, je vois que l'affaire est sur le point de se terminer ? »

« Si vous pouviez dire vrai, il y a encore des incohérences et des inconnues dans cette histoire »

« Vous avez bien bouclé l'idiot ? »

« Il n'est pas idiot chef, il est un peu attardé d'après le psy ».

« Donc ça veut dire que dans 1 mois il va être renvoyé en hôpital et qu'il sera jugé irresponsable de ses actes »

« Pour l'instant, il est en garde à vue chef, il a avoué avoir poussé cette femme le 27 février à l'aube sur la jetée de Lomener »

« Ben donc voilà, c'est bouclé »

« Pas si simple chef, il avait déjà accusé Alvarez et nous avait tenu le même discours et vous voyez bien où ça nous a menés ».

« Bon, en fait je ne venais pas pour ça, comment avez-vous trouvé Ange ? »

« Très affaibli, c'est un tsunami, ce virus ».

« Bon, tenez-moi un peu plus au courant des interrogatoires ».

« Oui ».

C'est dingue, j'ai l'impression d'avoir toujours travaillé ici, oublié le commissariat de Lyon.

Ce soir, c'est presque Noël dans ma tête, Laurie vient manger à la maison, cela va me faire drôle d'inviter une femme dans ma garçonnière, va falloir mettre les petits plats dans les grands.

Les courses au pas de charge, un regard circulaire sur la foule qui emplit son caddie, le geste automatique, le visage masqué et les yeux éteints.

C'est bientôt la rentrée des classes, une rentrée sous haute tension, une rentrée qui pourrait se terminer la semaine suivante, l'incertitude gagne toute la population qui n'a pas profité du bénéfice des vacances.

« Du poulet, c'est pas mal ça, avec un peu de curry et de lait de coco, on va pouvoir s'offrir une parenthèse exotique »

« Vous m'avez parlé, Monsieur ? »

« Non, excusez-moi, j'ai tendance à me parler »

« Ah, mais avec ces trucs sur la bouche on ne sait plus ! » s'est excusée ma voisine du rayon surgelé.

La bougie est allumée, odeur de vieux rhum c'est troublant, j'ai mis quelques fleurs sur la table, j'ai l'impression d'être un ado en proie à ses premiers émois, un rendez-vous !...

En attendant la belle, je me sers un fond de whisky, et je suis vite rattrapé par l'image de Gervais, j'essaie de l'imaginer se morfondre dans sa cellule.

« Bonjour, la porte était ouverte ! »

Toutes les nuances de couleurs se sont donné rendez-vous sur Laurie ce soir, un véritable arc-en-ciel.

Nous venions à peine de finir l'apéro que le cri de ma mouette a résonné dans l'appartement.

« Tu as une mouette »

« Oui, » j'ai répondu « Parce que les chiens c'est chiant, il faut les sortir »

J'entendais encore son rire cristallin tandis que je décrochais mon téléphone.

Lorsque je suis revenu dans le salon, elle s'est levée et est venue m'embrasser.

« Pas de souci, j'espère »

« Non, au contraire, c'est ma fille qui vient de m'apprendre qu'elle a obtenu une place dans une école d'Art à Lyon, elle est folle de joie ».

La table encombrée de la veille en disait long sur notre fin de soirée, et pendant que le café coulait, j'ai vite fait le petit rangement qui s'imposait.

« Alors mon beau flic, bien dormi ? »

Même au lever, elle était aussi jolie, ses cheveux emmêlés retombaient en boucles sur son visage candide.

« Eh Gabriel, tu sors d'où ? »

Je ne vais pas pouvoir lui cacher grand-chose à mon binôme… ses yeux plissés préviennent l'envie qu'il éprouve d'éclater de rire, je préfère le voir ainsi, il remonte peu à peu…

« Madame Postiec ? » me crie-t-il, l'air énigmatique.

« Qui ? »

« Madame Postiec, ça te dit quelque chose ? »

« Je crois avoir entendu ce nom, mais non ça ne me dit rien ».

« C'est le nom de la personne qui a recueilli Gervais lorsqu'il était petit »

« Et ? »

« C'est aussi le nom qui figure dans le rapport de police de la veuve noire »

« Je ne te suis pas là ! J'ai raté une étape ? »

« Non, je crois que tu as attrapé un drôle de virus nettement plus sympathique que le mien ! »

Et là le Géant de se dandiner dans le bureau en chantant…

« C'est l'amour mour mour ».

« Bon, plus sérieusement, je récapitule : Gervais le Gwenn, né de la starlette, et du mari de Mme Latouche »

« Jusque-là, je te suis ».

« Placé provisoirement, puis définitivement chez Mme Postiec ».

« Oui »

« Cette même Madame Postiec était l'amie de Mme Latouche, et en plus d'être son amie, elle était son alibi le jour de la mort du couple maudit »…

Putain, je viens de comprendre… voilà le maillon qui manquait !

En cinq minutes, nous avons dévalé les escaliers et demandé au planton d'ouvrir la cellule de Gervais…

« Pourquoi tu ne nous as pas dit que ta mère adoptive s'appelait Postiec ? »

« J'ai oublié »

« Tu as oublié de nous dire ? »

« Non, je ne sais plus, peut-être elle s'appelait comme ça, mais dans ma tête c'est un trou »

Il me faisait pitié.

« Allez, Ange, on va à Lomener ! »

Gervais s'est levé et a recommencé à crier.

« C'est moi. Je l'ai poussée parce qu'elle voulait partir, elle me l'a dit, elle avait rencontré un autre, moi je ne voulais pas…

« Allez, calmez-vous Gervais, ça va aller maintenant »

Pour une fois, c'est moi qui suis rentré dans le bureau du chef, sans frapper.

« Leroux ! Vous avez oublié de vous annoncer ! »

« Pardon chef, je croyais que c'était l'usage de la maison ».

Et bim, elle me démangeait celle-ci !

« On retourne à Lomener, c'est la veuve qui a fait le coup, le pauvre Gervais n'est pour rien dans cette histoire ! »

« Comment vous pouvez en être sûrs ? Je ne veux pas de bavures, elle est connue là-bas… Le curé, le Rectorat… »

« Elle va avouer ! »

« Y a intérêt Leroux, vous avez quand même vu que la police est un peu sur la sellette, nos méthodes qu'ils disent, si j'ai les bœufs-carottes sur le dos, ça va chier »

Lomener avait perdu son allure de zone touristique, et nous sommes allés boire un verre au Moulin Bleu, la veuve était absente.

« Alors, raconte ? »

« Oui, je crois que je suis en train de tomber amoureux »

« C'était pas la question ! » Et Ange est repartie d'un rire aussi puissant que sa grande carcasse.

J'ai repris la conversation en main, oui je m'étais fait avoir ! Comme un bleu.

« Et ta femme ? Son boulot, c'est plus cool ? »

« Oui tant qu'on va faire attention, mais les crédits et aides de l'État vont pas durer cinquante ans, les moyens vont encore manquer, en plus l'épidémie reprend ».

Drôle de vie, on a pensé…

« Regarde, la veuve vient de passer »

Lorsque j'ai vu Gervais quitter le commissariat, le dos encore plus vouté que les autres jours, je me suis dit que je faisais un drôle de métier…

Mme Latouche s'est enfin décidée à cracher le secret qui lui empoisonnait la vie, libérée du fardeau qu'est le non-dit.

Une femme blessée est capable de tout !

Lorsqu'elle a connu l'infidélité de son mari, elle savait qu'elle se vengerait, l'enfant qu'il ne lui avait pas donné était né du ventre d'une autre.

Une starlette ? Comment avait-il pu être séduit par tant de superficialité, elle le pensait érudit.

C'est alors qu'elle s'est confiée à celle qui est devenue sa complice, elles étaient devenues amies alors qu'elles étaient en quête d'adoption, c'était il y a longtemps, loin de la Bretagne.

Le projet monstrueux a pris forme, naturellement, elles l'ont échafaudé comme elles auraient pu préparer un voyage en Galice.

La veuve restait en relation avec son mari… Voulant le garder à tout prix, même dans l'adversité.

Il lui aurait confié que la starlette l'avait piégé, et qu'elle ne souhaitait pas élever cet enfant, qu'elle voulait vivre libre, sans contraintes.

Alors naturellement Monsieur S, sous les conseils de la veuve a présenté Mme Postiec à la starlette, Gervais a trouvé une autre maman, et les amants maudits ont pu continuer à s'aimer sans entraves.

Plus la veuve parlait, moins j'arrivais à écrire sa déposition…

« Mme Latouche, et Marie… Pourquoi ? »

« Marie avait compris mon histoire, pourquoi ? Elle n'avait pas autre chose à faire de sa vie que de me surveiller ? »

« Calmez-vous et continuez »

« Nous savions que Gervais venait d'être officiellement confié à Mme Postiec, alors en échange elle m'a servi d'alibi. »

« J'ai pris ma voiture et je les ai attendus, non loin de leur propriété, et lorsqu'ils ont franchi le col, j'ai entrepris de les doubler. Vous connaissez la suite, Monsieur le Commissaire. »

« Marie était venue me voir, elle voulait vivre avec Gervais, une colocation, mon œil ! »

« J'ai toujours gardé des relations avec Gervais, je l'ai suivi toute sa jeunesse, c'était un peu mon fils, par procuration.

« Lorsqu'il a quitté Mme Postiec, je me suis arrangée pour le suivre, j'ai pu intervenir dans le foyer où il vivait, c'était facile pour moi, j'ai prétexté mes ateliers d'écriture. »

« J'ai réussi à le faire émanciper et lui ai proposé de venir habiter à Lomener, j'avais ainsi un peu de mon mari avec moi. »

« Je me suis attachée à lui durant toutes ces années, de loin bien sûr, Mme Postiec m'envoyait des photos, celles qui sont dans l'album qu'a fouillé Marie »

Au fur et à mesure que les mots sortaient de sa bouche, elle semblait plus calme, comme une confession qui la libérait.

« J'ai donc tué mon mari, vous pouvez m'arrêter à présent »

« Mais Marie, qu'avez-vous fait ? »

Elle a repris son récit, des aveux qui résonnaient dans toute la pièce. Lourds, implacables.

« La veille de sa mort, Marie avait passé la soirée et on pourrait même dire la nuit avec Gervais, je l'ai vue rentrer à 7 heures, titubante. »

Je suis donc allée à sa rencontre et lui ai demandé ce qu'elle avait fait avec Gervais.

Elle a pouffé de rire et en me disant qu'elle connaissait son histoire, elle avait compris également que j'avais précipité mon mari dans le ravin.

Je lui ai donc demandé si elle en avait parlé à Gervais, elle a continué à rire, insolente, irrespectueuse.

Elle était tellement alcoolisée qu'elle a buté plusieurs fois, alors je lui ai proposé de tout lui raconter.

Je lui ai pris le bras, et ensemble nous sommes allées marcher sur le port encore désert.

Après la hune des douaniers, elle a commencé à me dire qu'elle se sentait mal, qu'elle avait peur de la mer, qu'elle ne savait pas nager.

C'est alors que dans ma tête est venue germer cette maudite idée, se débarrasser d'elle, ne plus la voir tourner autour de Gervais, on a continué notre marche sur la digue, je la soutenais car sa démarche devenait de plus en plus chaloupée.

Mon ventre me faisait mal, j'ai même senti des contractions… Ce corps stérile qui n'avait jamais porté d'enfant.

J'étais dans un état second.

Puis une vague est passée par-dessus la digue, nous arrosant toutes les deux et nous acculant sur le bord du quai.

J'ai fermé les yeux et je l'ai lâchée, ça a duré une fraction de seconde, une seconde interminable.

Lorsque j'ai enfin regardé l'eau sombre et agitée, j'ai vu un tourbillon et puis plus rien, mon lourd secret s'est noyé ce matin-là.

J'ai enfin regardé partout autour de moi, il n'y avait personne dans les parages, j'ai repris mon chemin comme tous les matins pour aller voir mon défunt.

« Vous êtes un monstre ». C'est tout ce que j'aurai pu lui dire, mais les mots sont restés.

Alors elle m'a fixé avec son regard froid et a lâché comme si elle lisait dans mes pensées :

« Ce n'est pas moi le monstre, la vie vous réserve des surprises parfois et c'est seulement le chemin que vous empruntez qui est responsable de ça. Le mien était escarpé et douloureux, ce que je ne vous souhaite pas, Mr le Commissaire. »

Peut-être avait-elle raison ?

Marie peut à présent reposer en paix, son manuscrit a fait le bonheur de Gervais, je le lui ai remis le jour où nous avons arrêté la veuve, il n'a pas tout compris de son histoire.

Il vient tous les jours voir Mme Latouche à la prison des femmes et s'est installé dans son appartement, elle le lui a laissé.

« Leroux, Quermeneur, dans mon bureau ! Je vous mets sur une nouvelle affaire, la disparition d'un jumeau, à Guidel ».

On s'est regardés comme deux vieux complices, pas de temps mort, la vie continue.

Imprimé en Allemagne
Achevé d'imprimer en novembre 2021
Dépôt légal : novembre 2021

Pour

Le Lys Bleu Éditions
40, rue du Louvre
75001 Paris